Tyner yw'r Lleuad Heno

Tyner yw'r Lleuad Heno

Meic Povey

Gomer

Cyhoeddir y ddrama hon fel yr oedd wedi
ei hysgrifennu'n wreiddiol gan yr awdur.
Wrth baratoi at y cynhyrchiad cyntaf ar lwyfan,
bu rhai newidiadau i'r sgript.

Cyhoeddwyd yn 2009 gan
Wasg Gomer, Llandysul, Ceredigion SA44 4JL

ISBN 978 1 84851 149 1

Dymuna'r cyhoeddwyr gydnabod cymorth
Cyngor Llyfrau Cymru.

Cyhoeddwyd gyda chydweithrediad Theatr Genedlaethol Cymru;
mae Theatr Genedlaethol Cymru yn derbyn cymorth ariannol gan Cyngor
Celfyddydau Cymru a Llywodraeth Cynulliad Cymru.

Argraffwyd a rhwymwyd yng Nghymru gan
Wasg Gomer, Llandysul, Ceredigion.

Rhagair

> 'A thros fy magu, drwy flynyddoedd syn
> Bachgendod yn ein cartref uchel ni,
> Ymwasgai henffurf y mynyddoedd hyn,
> Nes mynd o'u moelni i mewn i'm hanfod i.'
>
> T. H. PARRY-WILLIAMS.

Gofynnir i mi yn aml pam fy mod yn teimlo rheidrwydd i ddychwelyd i Eryri a'i chyffiniau dro ar ôl tro i gloddio am syniad neu stori. Nid 'mod i'n gorfod cloddio yn ddwfn iawn 'chwaith, gan fod yr un mlynedd ar ddeg y bûm yn byw yno, ar fferm Gelli Iago ym Mlaen Nantmor, yn gymaint rhan o'm hymwybyddiaeth byth ers hynny. Hwyrach mai hen ramant diawl ar fy rhan i ydi o, a fawr ddim arall. Yn sicr, o ran iaith a dylanwad, roedd byw yno yn bell o fod yn ddelfrydol wrth edrych yn ôl yn wrthrychol, er bod ein teulu ni, a'r gymdogaeth i bob pwrpas, yn uniaith Gymraeg. Bryd hynny, hyd yn oed, roedd y saith fferm a thyddyn oedd o fewn milltir i Gelli Iago yn dai haf: Bryn Bedd; Llwyn yr Hwch; Capel Bach; Gerynt; Fedw Bach; Berthlwyd; Buarthau. Garn Fach yw'r fferm yn y ddrama hon, ac er efallai y bydd ei henw yn gwneud i ambell un feddwl mai cydnabod ardaloedd Garndolbenmaen ac Eifionydd yr wyf, nid dyna'r gwirionedd. Mae'r enw yn hap-ddewis llwyr. Dychwelais eto i Eryri, a hynny'n ddiymddiheuriad.

Mae'r ddrama yn ymhél â dau o'm hoff synfyfyrion – sef rhyw a marwolaeth. Ni cheir yr ail heb y cyntaf wrth reswm, a thra bod un i'w groesawu, mae'r llall gyfystyr â'r bwcedaid ystrydebol honno o chwd oer. Ond pa un? Mae rhyw, yn rhy aml, yn fyrhoedlog ac annigonol; marwolaeth wedyn, yn para am byth. Y gwahaniaeth sylfaenol am wn i – er na fyddaf yma i'ch goleuo ar y mater – ydi bod y cyntaf yn rhywbeth i edrych ymlaen ato, gyda'r addewid o flaen llaw a'r prif gynnwrf yn yr helfa yn aml; tra bod addewid yr ail i'w gwireddu wedi'r weithred. Does dim posib gwybod a gaiff yr addewid hon ei gwireddu byth, wrth reswm, ond os bydd hi, mae'n fan cychwyn i antur fwyaf pob un ohonom.

Pan ofynnwyd i Robert McKee, y darlithydd ffilm byd-enwog, pam fod cymaint o olygfeydd mewn ffilmiau yn digwydd ar fynyddoedd, atebodd, 'achos bod pethau yn digwydd ar fynyddoedd'. Mewn sawl drama o'm heiddo, bu mynydd yn elfen gwbl hanfodol; yn gymeriad ychwanegol bron iawn, ac yn gysgod llythrennol dros fywydau'r cymeriadau. Ar fynydd y lladdwyd Alun, y tad yn *Indian Country*; mae'r plant yn *Diwedd y Byd* yn treulio eu noson olaf cyn dechrau yn 'yr ysgol fawr' yn gwersylla ar ochr mynydd; mynydd sydd yn domineiddio bywydau Defi a Mair yn *Fel Anifail* – ac ar lethr y Cnicht, yn blentyn wyth oed, y des i'n ymwybodol o farwolaeth am y tro cyntaf erioed, pan ddywedodd fy mam na fyddai hi 'yma am byth'. Felly yn y ddrama hon, mae'r mynydd yn tra-arglwyddiaethu, gyda'i bresenoldeb bygythiol yn ddyddiol atgoffa teulu Garn Fach o'r gyfrinach erchyll sydd yn eu gyrru ac yn eu rhwygo ar yr un pryd.

MEIC POVEY

Perfformiwyd yn gyntaf gan Theatr Genedlaethol Cymru
yn Sherman Cymru, Caerdydd, 8fed o Hydref, 2009.

Cast gwreiddiol:

Llew – Owen Arwyn

Elinor – Ffion Dafis

Prysor – Owen Garmon

Dafydd – Arwyn Jones

Owain – Merfyn Pierce Jones

Emma – Buddug Povey

Mared – Tonya Smith

Cynhyrchu:

Cyfarwyddwr – Meic Povey

Cynllunydd Set – Gwyn Eiddior

Cyfansoddwr – Osian Gwynedd

Cynllunydd Goleuo – Nick Mumford

Tyner yw'r lleuad heno

CYMERIADAU:

Prysor

Owain

Llew

Elinor

Emma

Dafydd

Mared

AMSER:

Presennol.

Act i

Cerddoriaeth.

Llwyfan eang, gyda chryn ddyfnder iddo. Yr ydym y tu allan, yng nghefn ffermdy Garn Fach trwy gydol y chwarae. Gardd aeddfed, naturiol, a dwy goeden afalau neu dair; hen fwrdd gardd a meinciau yn sownd wrtho; ambarel yn y canol, wedi gweld ei ddyddiau gwell. Yma ac acw, heb fawr o drefn, bêls o wair i bobl eistedd arnynt. Ar un ochr y llwyfan, mae conservatory, sydd yn arwain i weddill y tŷ. Ynddo cedwir diodydd, a bwydiach ar gyfer y bbq. Ar ochr arall y llwyfan, yn rhannol o'r golwg (am resymau ymarferol), ond fel y medrwn weld digon ohono i'w adnabod, safle bbq.

Mae'r uchod yn agored i ddehongliad, ond ni ddylid cael mwy o 'bethau' nag sy'n gwbl angenrheidiol i'r chwarae; rhaid wrth ymdeimlad o 'le', fel bod sgyrsiau preifat, rhwng dau neu dri chymeriad yn medru digwydd tra bod cymeriadau eraill yn bresennol.

Rhaid i'r conservatory fod yn weddol 'agored', fel y medrwn weld i mewn iddo, a chlywed sgyrsiau sydd yn digwydd. Pan ddigwydd sgyrsiau yno ni all y cymeriadau yn yr ardd eu clywed.

Pan gyfyd y golau, (fel y mae'r gerddoriaeth yn peidio), mae hi'n brynhawn Sadwrn hwyr o Orffennaf yn y presennol. Mae hi'n heulog ac yn boeth. Neb i'w weld. Yna daw Llew i'r golwg yn hamddenol o'r cefn, yn cau ei falog (botymau nid zip). Mae'n setlo ar bêl o wair. Mae'n estyn can o lagyr o docyn wrth ei draed, ei agor, a dechrau llymeitian yn bwyllog a phwrpasol. Mae dau gan neu dri wedi eu hyfed, a'u crenshio yn barod.

Daw Owain ac Emma i'r golwg o gyfeiriad safle'r bbq. Owain yn gwisgo brat at ei draed. Mae ganddo efel yn ei law. Emma yn ffidlan â sigaret (heb ei thanio) a leitar. Mae'r sgwrs ganlynol allan o glyw Llew. Emma ar bigau, yn edrych yn gyson i gyfeiriad y conservatory (a'r tŷ); hanner gwrando yn unig a wna ar baldaruo Owain.

Owain: It's the future, cariad – and it's green! Nid yn unig hynny, it's ours if we grab it with both hands! Mae o'n lân, ac yn environmentally kosher!

Emma: What the fucking hell are you on about now, del?

Owain: 'Rhosa! Dwi'n siarad . . . gwynt! Y ffordd ymlaen! Ddoth i mi heno yn y gawod! Wind power, like most sources of energy on earth, originates from the sun.

Emma: Os ti'n deud.

Owain: Ma' ffermydd gwynt yn mynd i fod o fudd i bawb – 'nenwedig ni'n dau! Dwi'n gw'bod; I know they mess up the flora and the fauna a little bit – but hey! – Do'dd neb yn malio botwm pan fildion nhw Traws a Wylfa!

Emma: The good old days.

Owain: Be'? Paid â malu cachu! I'm serious. Ma' ffermydd gwynt yn mynd i achub y blaned!

Emma: Achub chdi a fi in the bargain, Owain?

Owain yn simsanu mymryn.

Emma: Fa'ma . . . yn Garn Fach?

Owain: Ar y Llechwedd! Mae hi mor amlwg!

Emma: Gei di hell of a job confinshio'r hen ddyn, sweetie! A fo.

Sef Llew.

Owain: *(dirmyg)* Fo! Efo caniatâd cynllunio yn dy bocad mi fedrat blannu o leia' cant yn hawdd – mwy 'wrach!

Emma: A be' am Yr Angor?

Owain: *(yn siomedig)* Dwi'n siarad am y dyfodol, cariad. Don't be so negative.

Emma: *(yn eithaf angerddol)* Yeah, well so am I! Dyna . . . exactly be' dwi'n siarad am!

Owain: *(ansicrwydd)* Y ddau ohonon ni?

Emma yn syllu arno yn ddiemosiwn.

Owain: Dyfodol y ddau ohonon ni efo'n gilydd, dyna ti'n feddwl, siwgwr candi mêl? *(Yn obeithiol)* Chwara teg! *(Simsanu eto)* Fel'na ti'n ei gweld hi, babe?

Elinor yn dod i'r golwg, trwy'r conservatory, yn gwthio canister oxygen ar olwynion, a masg wyneb ynghlwm wrtho.

Emma: Sut ma' Prysor?

Elinor: 'Sa ots gin ti beidio yn ei ŵydd o? *(Sef smocio)*

Emma: Dwi yn? Keep your knickers on, Linor!

Elinor yn ffromi. Mae'n llawn tensiwn. Mae'n gosod y canister wrth bêl o wair.

Emma: 'Nath Dafydd ffonio?

Owain: Paid â phoeni am Dafydd. Mae o'n saff o gyrra'dd!

Llew: Rhwbath fedra-i 'neud?

Elinor: A be' fedrat ti 'neud tasat ti'n trio?

Llew: Hel defaid?

Elinor: Ista ar dy dîn yn yfad!

Llew: *(smala)* Rhaid i rywun, 'toes! D'wrnod i'r brenin, Lin.

Elinor: Nid i fi!

Elinor yn sadio. Cyfeirio at y bêl wair.

Elinor: Dad sy'n fa'ma . . . iawn?

Owain: Sut mae o? Alwodd y doc?

Elinor: Naddo. Dim iws i ddoctor, medda fo.

Owain: Glywis-i gar! Gynna'.

Elinor: *(yn petruso)* Lloyd . . . yn gada'l.

Elinor yn ymwybodol o Emma; ceisio cadw'r sgwrs rhyngthi hi ac Owain yn breifat – tasg amhosib yn y diwedd.

Owain: Lloyd!

Emma yn ymateb yn bendant i'r newyddion yma.

Owain: Be' o'dd hwnnw isio efo fo? *(Wrth Llew)* wyddat ti ei fod o'n galw?

Elinor: Be' ma' dyn ar 'i helfa ola' – a thwrna – yn ga'l i' 'neud fel rheol?

Owain: Di-o! Di-o 'rioed yn mynd i!

Elinor: Sut gwn i?

Owain: Mi ddylat! Chdi sy'n tendiad! Wyt ti wedi gofyn iddo fo?

Elinor: Paid â siarad yn wirion!

Owain: Ofynnist ti i Lloyd ta?

Elinor: Ti'n siarad yn wirionach rŵan!

Owain: Ydw-i? Ar ben giât lôn yn disgw'l amdano fo bob cyfla gei di!

Emma: Tafod yn hongian allan!

Llew: Yn gweddïo am bum munud efo'ch gilydd y tu ol i ddrws y bwtri!

Elinor: Ma' Lloyd yn ormod o ŵr bonheddig i 'w hen firi fel'na.

Owain: Gŵr bonheddig? Mae o'n byw efo'i fam a ma' gynno fo ddandryff! Dydi-o yn neb sbesial. Ma' ei gachu o'n drewi fel pawb arall.

Elinor: Ac mi w't ti yn sbesial, debyg?

Owain: 'Waeth befo amdana-i! O'dd Lloyd efo fo'n hir?

Elinor: Awr dda. Mae o'n dwad yn ei ôl – efo tyst.

Owain: Tyst? Pryd?

Elinor: Heno? 'Fory? Dwn i'm.

Elinor yn gadael am y conservatory.

Elinor: Paid â deud rhagor wrtho fo! *(Sef Llew)*

Owain: Ol, faint rhagor sy 'na?

Emma: Ydi Prysor yn mynd i 'neud appearance?

Exit Elinor, trwy'r conservatory i'r tŷ. Er i Elinor anwybyddu ei chwestiwn, yn gyffredinol Emma ychydig yn hapusach (er yn dal yn llawn tensiwn). Tensiwn Owain yn amlwg iawn.

Owain: Bydd yn glên efo fo os daw o!

Emma: Lloyd?

Owain: Dad!

Emma: Bob amsar yn.

Owain: (*yn simsanu*) Ffendia allan be' fedri di!

Owain yn llygadu Llew. Â ato yn bwrpasol.

Owain: O'ddat ti'n gw'bod fod Lloyd yn pasa galw?

Llew yn anesmwytho.

Owain: O'ddat ti, Llew? Arclwy, mi o'dd Lin yn iawn. Be' w't ti'n 'neud 'blaw ista ar dy din yn yfad?

Ffôn lôn Owain yn canu. Mae'n petruso.

Llew: Orffennis y cwt ieir yn Graig Las bora 'ma! A mi welis Bob Sgubor. Bron iawn i mi brynu ci. 'Fflei'. Ast ydi hi. Ga-i weld be' ddeudith Dad.

Ffôn lôn Owain yn dal i ganu.

Emma: Atab y blydi thing!

Owain: *(yn ateb y ffôn)* Toby! Hi! What's it to be, old friend – shot at dawn or two hours with Madonna? *(Chwerthin ffals a gobeithiol; yna simsanu a difrifoli yn sylweddol)* Yes. Yes, of course, I'm hearing you, Toby, don't worry. Tuesday morning? Thursday afternoon, tops. Tonight? Yes, I'll probably drop in. O.K. No worries, buddy.

Owain yn diffodd y ffôn. Emma, wrth ddrws y conservatory, yn ysgwyd ei phen yn anghymeradwyol.

Llew: Toby jug?

Owain yn ddigalon a heb fod yn gwrando.

Llew: Toby be' 'di enw iawn o 'fyd? Fo dorrodd goes Benji Marina – mewn dau le. Gefn Sportsman ac yn ffair. *(Chwerthin yn dila am ben ei joc ei hun)* 'Wraig o'n hwnna 'dydi. Wsti. Tynnu blew merchaid.

Owain: Y . . . na. Nid y fo. Toby arall.

Llew: Dow! Ti'n nabod dau Doby?

Owain: O'ddat ti'n gw'bod fod Lloyd yn galw?

Llew: Ew, dwn i'm 'sti. Dwi'm i fod i ddeud.

Owain: Ac mi o'ddat! Gin bwy gest ti ordors i beidio â deud? Gin y ffycin Linor 'na ma' rhaid!

Llew: Paid, Ow, rhag ofn iddi dy glywad di!

Owain: Paid â 'ngalw i'n 'Ow'. Jesus Christ Almighty!

Llew yn gorffen ei gan lager; ei grenshio. Agor can arall.

Emma: Neb yn gw'bod dim eto.

Owain: Os ydi-o yn newid, sut newid fydd o? Y fo? *(Sef Llew)* Duw a'n helpo ni!

Emma: Mi fyddan yn oce. Trust me on this one, ia.

Owain: Chdi a fi, Emma?

Emma: Chdi, fi, Dafydd.

Owain: O ia! Rhaid i ni beidio â'i anghofio fo.

Medrwn glywed ei lais cyn iddo ymddangos.

Prysor: *(llais)* Gollwng 'y mraich i! Paid â ffysian!

Prysor ac Elinor yn dod i'r golwg trwy'r conservatory. Prysor yn cerdded gyda chymorth ffon. Elinor yn cydio mewn un fraich iddo. Gan fod ganddo gancr yr ysgyfaint, mae'n fyr iawn ei wynt, yn enwedig pan yw'n symud.

Pawb, blith-draphlith:

Emma: Many happy returns, Prysor!

Llew: A llawar ohonyn nhw!

Owain: Pen-blwydd hapus, Dad!

Emma: Dowch i ista!

Prysor: Lle ma' Dafydd?

Emma: Dowch â'r fraich arall i fi!

Elinor: Mae o gin i, gad llonydd iddo fo!

Prysor: Ddeudist ti ei fod o ar ei ffor'!

Elinor: Ca'l pas! Wedi colli'r trên! Paid, Emma, neu mi fydd wedi drysu'n lân!

Ond Emma yn mynnu cydio yn y fraich arall. Y ddwy yn ei hebrwng tuag at y bêl o wair lle mae'r canister oxygen.

Emma: Gymwch chi ddrinc, Prysor?

Prysor: Wisgi!

Elinor: Can o lagyr i ddyn yn ych cyflwr chi!

Prysor: Diod cadi ffan!

Owain: A-i i nôl o i chi!

Prysor: *(wrth Elinor)* Cer di i' nôl o. Cer! Sdim yn bod ar 'y nhraed i, neno'r Arglwydd!

Elinor yn ffromi, ac yn gadael am y conservatory. Emma yn unig sy'n hebrwng Prysor i'w sedd yn y diwedd.

Emma: Clywad i chi ga'l fisitor, Prysor?

Edrychiad rhwng Emma a Prysor. Prysor yn ebychu, rhyw lun o gydnabod. Prysor yn setlo ar y bêl wair. Emma yn gwenu yn fodlon.

Llew: Dwi 'di gorffan y cwt ieir yn Graig Las!

Prysor: Welist ti Bob Sgubor? Brynist ti'r ast?

Llew: 'Wrach dylwn-i ga'l rhyw un golwg bach arall arni.

Owain: Fydd y bwyd ddim yn hir!

Prysor: Mi fydd Bob wedi ei hen werthu hi, siŵr Dduw! Titha'n da i ddim weithia!

Daw Elinor o'r conservatory gyda chan o lagyr.

Owain: Ydach chi'n teimlo'n wahanol, Dad?

Prysor: Ydw, cofia – ma' gin i lai fyth o wynt!

Owain: Chwe deg pump yn dipyn o garrag filltir – dyna oedd gin i.

Elinor: Twt lol! Ma' 'na ferchaid yn neidio o eroplêns yn naw deg!

Llew: Ddim am 'y mhen i, gobeithio!

Ffôn lôn Owain yn canu.

Prysor: Wyt ti'n mynd i fod ar y swnyn yna drw' nos?

Owain: *(i'r ffôn)* Hi, Sean! How's it going, old friend?

Emma yn edrych yn ddu iawn ar Owain, wrth iddo symud o glyw y gweddill i gymeryd ei alwad ffôn. Mae ei hanniddigrwydd yn gwneud iddi ddechrau ffidlan â'r sigaret (heb ei thanio) a'r leitar fu yn ei dwylo o'r cychwyn. Prysor, gan ddodi'r masg oxygen ar ei wyneb, yn syllu yn hiraethus genfigennus wrth iddi roi'r sigaret yn ei cheg yn ddifeddwl. Wedyn, cofio.

Emma: Sori!

Elinor: Dwi wedi deud wrthi!

Prysor: 'Mots gin i, ond iddi beidio â dwad yn rhy agos.

Elinor: Ol ma' ots gin i! Nid y hi sy'n gorod morol am y llanast.

Emma: Pa lanast, Linor? God, get a life!

Elinor: Chdi w'r.

Erbyn hyn, Prysor yn ceisio – a methu – agor y can lagyr.

Elinor: Dowch â fo yma!

Prysor yn gwneud pwynt o roi'r can i Emma (sy'n ei agor).

Elinor: Fel mynnoch chi.

Emma yn rhoi'r can lagyr i Prysor, ac eistedd wrth ei ymyl yr un pryd.

Elinor: Be' ti'n 'neud, Emma? Gad llonydd iddo fo am funud, wir!

Nid yw Emma – na Prysor – yn cymeryd fawr o sylw. Rhaid i Elinor fodloni ar hofran yn anniddig.

Emma: O'dd Lloyd yn iawn? Solicitor da!

Llew: Be' o'dd o isio?

Prysor: Digymeriad a dihiwmor fydda-i yn ei weld o!

Emma: Ia, maybe – ond be' 'di ots if he gets the job done? Be' sy well – solicitor efficient, 'ta solicitor sy'n cracio jôcs?

Llew: Y ddau 'sa'n eidïal.

Emma: Oce, Llew, cer nôl o dan dy blydi carrag. Dwi'n trio 'neud serious point yn fa'ma.

Llew: Be' o'dd o isio?

Prysor: Mae o'n onast, sy'n brin. Ma' dyn yn ca'l gwerth ei bres, sy'n brinnach.

Llew: 'Di rhywun yn mynd i ffwcin deud wrtha-i?

Prysor/Elinor: Be' sy' haru'r hogyn 'ma! / Iaith!

Owain: *(daw y sgwrs ffôn yn 'fyw' iawn)* Iesu bach, twenty five per cent! You're killing me, Sean! *(Wrth bawb arall)* Sori, bobl, sori!

Emma yn anesmwytho gryn dipyn. Prysor yn cymeryd swig o lagyr. Tynnu wyneb.

Prysor: Piso dryw!

Emma: 'Sa well gynnoch chi wisgi?

Elinor: Paid â rhoi wisgi iddo fo!

Prysor yn lled-wenu yn werthfawrogol. Cydia ym mhen-glin Emma a'i gwasgu'n dynn. Elinor yn ffromi. Emma yn codi a'i chychwyn hi am y conservatory.

Owain: *(i'r ffôn)* Yes, I can do it. It's not a problem. *(Heb eironi)* You have my word as a Welshman, Sean.

Owain yn diffodd. Emma yn ei dynnu o'r neilltu.

Emma: Sean Donaldson o'dd hwnna? Ti'n thick, neu be'? You're robbing friggin' Peter to pay friggin' Paul, sweetie! Naci! Robbing Sean to pay Toby! Idiot!

Emma yn mynd yn ei blaen i'r conservatory. Prysor yn ochneidio. Rhy'r masg oxygen ar ei wyneb. Llew yn mentro ar ei draed; wynebu Elinor.

Llew: Be' o'dd Lloyd isio? *(Cofio yn hoffus)* Tarzan! Dyna fyddan ni'n ei alw fo'n blant! Mi neidiodd o ben bont Plas a dal brigyn coedan oedd yn hongian dros y dŵr dest mewn pryd! Dyna i ti foi! Cofio?

Elinor: Dydi-o ddim yn Darzan rŵan, Llew – mae o'n dwrna.

Llew: Be' sy'n mynd i ddigwydd i ni, os . . . ? *(Atal)* Be' ddaw ohonon ni, Lin?

Elinor: *(yr un mor ansicr)* Paid â gofyn i mi!

Llew: Mi fyddwn ni'n dau yn iawn, yn byddwn? Yn fa'ma; yn Garn Fach. Mi dan ni'n dau wedi bod efo fo *(Prysor)* ar hyd y beit! Wahanol i mei nabs. *(Owain)* Arclwy! Ti'n cofio fel byddan nhw'n ffraeo 'stalwm, cyn cyrra'dd giât lôn weithia? Yn benna ei gilydd, cyn i swyddan ga'l ei g'neud! Dau deigar!

Elinor: *(yn hiraethus)* O'ddan, amsa'ny.

Llew: Fysa dim o hyn yn digwydd, tasa Mam efo ni!

Elinor: O'dd rhaid i ti? Ma' hi'n lleuad llawn heno.

Llew: *(yn simsanu)* Ydi 'fyd.

Elinor yn gadael am y conservatory, heibio i Emma sy'n dwad ohono gyda wisgi Prysor. Elinor yn osgoi edrych ar Emma, a diflannu i'r tŷ. Gwêl Owain ei gyfle. Mae'n cymeryd y wisgi oddi ar Emma, sy'n gyndyn i ollwng ei gafael arno, ond yn ildio yn y diwedd.

Owain: Dyma chi, dad! Ym . . . oes 'na le i un bach arall?

Mae'n eistedd wrth ei ymyl p'run bynnag, yn ddiwahoddiad. Prysor yn gorfod symud ryw fymryn.

Owain: Argoeli'n dda!

Prysor: Mi wellith petha, cynta' cyrhaeddith Dafydd.

Owain: G'nân', dwi'n siŵr! Teulu efo'i gilydd. Bwysig iawn! Mi o'dd Emma am gadw'r Angor ar agor drw' p'nawn, a dwad yma'n hwyrach – ond mi fynnis; mi rois 'y nhroed i lawr: 'Mi dan ni'n cau, a diwadd arni!'

Prysor: Do'dd dim rhaid i chi gau oltwgeddyr! Ma' gin ti staff, 'toes? Neu mi o'dd gin ti!

Owain: Dim ond ni'n dau sydd yno ar y funud. Digon i' 'neud! Heb sôn am blanio ar gyfar y dyfodol.

Prysor: Agor y storwm! Hen bryd! Mi ga't wyth o fyrdda yno'n hawdd!

Owain: Naci . . . rh'wbath arall oedd gin i mewn golwg; mwy uchelgeisiol.

Prysor: Wrth dy draed, wasi; wrth dy draed.

Owain: Ia, mi wn i hynny ond . . .

Prysor: Ond be', Owain?

Owain yn oedi wrth i Elinor ddod i'r conservatory o'r tŷ, yn cludo hambwrdd o rolls. Elinor yn gweld Owain a Prysor ar yr un bêl o wair. Â Elinor yn ôl i'r tŷ. Prysor yn defnyddio'r masg oxygen.

Emma: *(mwmial canu wrthi hi ei hun)*
'Don't write a letter when you want to leave,
Don't call me at three from a friend's apartment . . .'

Owain: Dwi . . . wedi bod yn meddwl am y Llechwedd, Dad. Wedi bod yn cysidro tybad fydda hi'n bosib codi rh'wbath parhaol yno. Mi ydan ni tu allan i'r Parc, yn tydan – jyst?

Prysor: Cofeb? Syniad ardderchog, ond go brin bydda-i yma i'w weld o!

Owain: Peidiwch â siarad fel'na! Na, nid dyna oedd gin i cweit.

Prysor: Carrag noeth, heb ei thrin. Faint fynnir o feini ar lawr yr hen chwaral!

Owain: Nid am Mam dwi'n sôn!

Prysor yn rhythu arno.

Emma: *(wrthi ei hun)*
'I know how I want you to say goodbye,
Find a circus ring with a flying trapeze,
Tell me on a Sunday please . . .'

Prysor yn rhythu arni yn hiraethus.

Prysor: Damwain oedd hi 'sti. Dyna ddeudodd Major Roache ei hun yn y cwest.

Owain: 'Di ots, ar ôl yr holl flynyddoedd?

Prysor: Damwain . . . dyna'r oll.

Owain: *(yn troi'r stori)* Sut o'dd 'rhen Lloyd? Cofiwch chi rŵan, os oes 'na r'wbath fedra-i ei 'neud. 'All hands on deck', fel bydda Nain Llecheiddior yn ei ddeud! Mi dach chi'n parchu 'nghyngor i, gobeithio?

Prysor: Dibynnu ynglŷn â be'.

Owain: Ylwch, Dad! Dydw-i ddim ar ôl ych pres chi.

Prysor: Deud ti.

Owain: Y Llechwedd: mae 'no le i o leia' gant o felina gwynt – tasa ni'n ca'l planning. O leia' gant! Ond mi fydda'n rhaid ca'l ych caniatâd chi, wrth reswm.

Prysor: Melina gwynt? Ar y Llechwedd! *(Yn emosiynol)* A Morfudd yn dal efo ni?

Emma: 'Don't run off in the pouring rain,
Don't call me as they call your plane,
Take the hurt out of all the pain . . .'

Prysor yn gwenu'n werthfawrogol

Prysor: Ma' gynni lais canu di-fai, chwara teg.

Owain: Ia, wel! 'Cân di bennill mwyn', dyna sgin i! Dwi . . . wedi rhoid, dad.

Am ennyd, mae'r ddau yn syllu ar Emma yn canu.

Emma: 'Take me to a park that's covered in trees,
Tell me on a Sunday please . . .'

Owain: Rhoid . . . ar hyd y blynyddoedd.

Daw Elinor i'r conservatory o'r tŷ.

Elinor: Ylwch pwy sy 'di landio!

Daw Dafydd i'w chanlyn. Mae'n cludo bocs carbord a llinyn amdano.

Pawb, blith-draphlith:

Emma: Davie!!

Prysor: Ol dyma fo!

Llew: Dow!

Emma: Ty'd yma!

Emma yn ei gofleidio a'i gusanu.

Emma: God! Dwi 'di colli chdi!

Prysor: Paid â'i fygu fo!

Dafydd: Peidiwch, Mam! Helo, Taid!

Dafydd yn oedi, wrth sylwi ar yr olwg sydd ar Prysor, ac yn enwedig y gêr oxygen.

Owain: *(estyn llaw)* Sut wyt ti, Dafydd?

Dafydd: Dad.

Ysgwyd dwylo, braidd yn ffurfiol.

Dafydd: *(wrth Emma)* Pam na fasach chi wedi deud?

Prysor: Hitia befo!

Emma: Ti ddim 'di ffonio ers bron mis, del!

Dafydd: Dros dro, ia, Taid? Nes byddwch chi'n ôl ar ych traed!

Prysor: Sdim yn bod ar 'y nhraed i! Be' di matar ar bawb?

Yn raddol, daw pawb yn ymwybodol o Mared, a ddaeth i'r golwg o'r tŷ. I gychwyn, ymddengys yn ansicr.

Prysor: Pwy 'di hon?

Dafydd: Wedi bod yn y tŷ bach! Ma' hi'n mynd rŵan!

Elinor: Paid â bod yn smala! Ty'd drwadd! Ty'd aton ni! *(Egluro)* Lifft Dafydd!

Dafydd: Ar y ffor' i Rhyl! Dwyt?

Prysor: 'Sgynni enw?

Elinor: Wel oes, debyg! O! *(Ddim yn ei wybod ychwaith)*

Prysor: *(yn bryfoclyd)* Ddeudodd neb dy fod di'n pasa dwad â dy gariad i dy ga'lyn!

Dafydd / Mared: Dydan ni ddim! / Ni ddim!

Dafydd: Jyst . . . nabod yn gilydd.

Mared: O bell.

Prysor: A dyna ma' nhw'n ei alw fo dyddia yma!

Dafydd: Mared! Bawb. Ma' hi ar ei thrydydd. Taid, Prysor Huws.

Mared: Neis cwrdd â chi, Mr. Huws.

Dafydd: Mam . . . a Dad.

Mared: Neis cwrdd â chi.

Dafydd: Yncl Llew; ar ei ben ei hun.

Mared yn nodio yn unig.

Prysor: *(yn bryfoclyd)* Ydi dy gariad di'n aros i fwyd?

Elinor: Ma' croeso iddi 'neud!

Dafydd: Nac 'di, achos dydi hi ddim yma! Ma' 'nghariad i yng Nghaerdydd.

Prysor: Wel tawn i'n glem! Ma' gynno fo ddwy ar y go!

Emma: In your ffrigin' dreams!

Elinor: Ti'n deud, Emma?

Dafydd: Ma' Mared yn gorod mynd! Dwyt? Rhaid iddi gyrra'dd Rhyl cyn iddi dwllu!

Llew: Ydi Rhyl yn anodd ei ffendio yn twllwch?

Dafydd: Dim gola ar y car! Anghofiodd fynd â fo i garej. Blerwch! Ynde, Mared?

Mared: Sen ni wedi bod 'ma lot cyn hyn, ond o'dd Dafydd yn mynnu ma' fe o'dd yn gwbod y short cuts i gyd.

Prysor: Ol ers pryd, a fynta 'rioed wedi bod tu ol i olwyn car?

Mared: Back-seat driver.

Elinor: *(yn mentro'n glên)* Reit falch o'r cwmni ar y ffor', dwi'n siŵr!

Mared: Rabbit, rabbit, rabbit – ie, oeddwn. Sori, pwy 'yt ti?

Dafydd: O! Anti Lin.

Elinor: Elinor.

Dafydd: Sbesial iawn.

Elinor: 'Linor' fydd y rhan fwya'n ddeud.

Dafydd: Fel mam i fi bron!

Emma: Thanks a bunch, Davie! Ti ddim yn gw'bod ei hannar hi, sweetie!

Dafydd: Mam . . . arall ta.

Llew: Fedri di ddim ca'l dwy fam, y lembo!

Mared: Pam lai? *(Estyn llaw)* Helo, Linor.

Elinor: O! Helo.

Ysgwyd dwylo; cydwenu. Elinor yn teimlo rheidrwydd i ddweud rhywbeth.

Elinor: Fi sy'n ydrach ar eu hola nhw i gyd!

Mared: Ife?

Elinor: Rhedag a rasio i bob Lari Jac, fel dwi wiriona'!

Prysor: Paid â chwyno; ti'n ca'l dy le!

Elinor: Ydw, Dad, a dwi mor ddiolchgar!

Mared: Ti yw'r arwres te!

Dafydd: Ddylat ti ddim meddwl am fynd, Mared?

Prysor: Deith hi i nunlla heb r'wbath yn ei bol, siŵr; a diferyn i'w yfad! Wyt ti'n licio wisgi, 'mechan i?

Owain / Emma: Dad, peidiwch â mwydro! / Ridiculous!

Mared: Wy'n leco wisgi, odw.

Prysor: Go lew!

Llew: Desu bach, un dda 'di hon!

Elinor: Wyt ti'n siŵr?

Dafydd: Ma' hi'n gorod gyrru, Anti Lin! Mi fydd ei ffrindia hi yn disgw'l amdani! Mi fyddan wedi paratoi pryd o fwyd! Dydi hi ddim isio eu siomi nhw!

Mared: *(acen Americanaidd dda)* You presume so much!

Pawb – ond Dafydd – yn lled-chwerthin.

Elinor: Dafydd bach, ma' hi'n iawn i'r hogan ga'l llymad, a thamad o fwyd, be' sy harut ti!

Mared: Sai'n credu gaf fi bryd o fwyd teidi pan gyrhaedda-i. Sdim synied 'da nhw siwd i gwcan! *(Gwna bwynt o hyn)* Ddim fel ti wy'n siŵr, Linor. Chips, stop tap fydd hi nawr – os wy'n lwcus!

Dafydd: Ia, ond . . .! Wel, mae'n ben-blwydd, 'dydi; yn achlysur teuluol.

Mared: A! Reit. Good point. Sori, 'netho-i ddim meddwl!

Blith-draphlith:

Elinor: Paid â bod yn wirion!

Prysor: Rhosa os t'isio!

Llew: Dei di ddim rŵan!

Mared: Wel – lan i chi.

Dafydd: Mynd 'sa ora i ti, Mared!

Owain: Ydi hi'n b'yta cig?

Ennyd, wrth i bawb dreulio'r sylw hwnnw.

Owain: Chwech o bob dim sgin i! Chwe sosej; chwe tsopan; chwe . . . !

Mae'n atal, wrth sylweddoli pa mor bathetig yw ei safiad.

Owain: Wyt ti'n b'yta cig?

Mared: Odw – ond fydde 'mots 'da fi ga'l sandwich neu r'wbeth.

Llew: Geith hi yn sosej i!

Gan chwerthin am ben ei joc dila.

Prysor: Rhowch wisgi iddi! Linor, reit sydyn.

Gan orffen ei wisgi a rhoi'r gwydr gwag i Elinor.

Elinor: Dim rhagor i chi.

Prysor: *(yn hwyliog)* Yldi'r ffor' ma' nhw'n 'y nhrin i! A finna'n 'bennaeth mwyn' i fod! Emma!

Prysor yn dal ei wydr gwag. Emma yn gyndyn. Prysor yn ei hoelio ag edrychiad pwrpasol iawn. Emma yn ildio a chymeryd y gwydr. Yn ystod yr isod â i'r conservatory i ymofyn y diodydd. Prysor yn ffatio'r bêl wair â'i law.

Prysor: Wyt ti am ista, 'mechan i?

Llew: Ty'd yma ata-i! Ty'd, ma' 'ma faint fynnir o le!

Prysor: Ty'd ata-i.

Dafydd: Sgyni'm amsar i ista, Taid!

Elinor: 'Stedda di. 'Neith o'm dy frathu di – bellach.

Prysor yn crechwenu. Owain yn ysgwyd ei ben. Mared yn eistedd wrth ymyl Prysor yn eithaf bodlon. Prysor yn gwasgu ei phen-glin yn 'gyfeillgar' – ac am eiliad yn rhy hir. Emma, ar ei ffordd yn ôl o'r conservatory gyda'r diodydd, yn ffromi, yn corddi. Mared yn fferru am ennyd, cyn ymwroli eto.

Prysor: A be' 'di dy enw llawn di, 'mach i? Be' 'di dy syrnâm di?

Dafydd: Surname.

Mared: Really? Sen i byth wedi geso! Spiero.

Llew: Arclwy! Italian! Hw wyn ddy wor?

Owain: Ga'n ni roid y presanta iddo fo rŵan? Gan yn bod ni i gyd yma.

Elinor: Fysa ddim yn well i ni f'yta gynta'?

Prysor: Be' sgin ti yn y bocs?

Dafydd: Sbesial, taid!

Prysor yn cymeryd y diodydd oddi wrth Emma.

Prysor: Wel! I lawr y lôn goch â fo!

Prysor yn cymeryd swig (gymhedrol). Mared yn yfed ei hanner. Prysor a hithau'n cydwenu. Mared yn yfed y gweddill ar ei thalcen.

Blith-draphlith:

Prysor: Go dda rŵan!

Llew: Nefi blw!

Dafydd: Cym bwyll, Mared!

Prysor, Mared a Llew yn cydchwerthin. Prysor yn rhoi clec i weddill ei ddiod. Pesychu yn ffiaidd.

Blith-draphlith:

Emma: God's sake!

Elinor: Dach chi'n iawn, Dad?

Dafydd: *(wrth Mared)* Fodlon rŵan?

Prysor: Peidiwch â g'neud cymaint o stŵr, bendith nefoedd i chi! Ty'd â rhagor i mi!

Emma: No way! Dim drop arall!

Prysor: Linor!

Emma: Paid â rhoid o iddo fo!

Dafydd: Di fiw i chditha 'chwaith, Mared! Ma'r plysmyn yn keen iawn yn y gogledd 'ma!

Emma: Dead keen!

Prysor: Linor, cer i nôl rhagor o wisgi – i mi ac iddi hi.

Emma: Iawn! Ac mi fyddwch chi'n nicely pissed pan ddoith Lloyd yn ôl!

Prysor: O! Ac mae o'n dwad yn ei ôl, ydi o?

Gan edrych yn gyhuddgar ar Elinor – sydd yn cymeryd gwydrau Prysor a Mared a'i g'luo hi am y conservatory yn reit sydyn.

Owain: Mi fydda'n ddigon hawdd ei ffonio fo tasa rhaid, a chanslo.

Dafydd: Lloyd twrna? Be' mae o isio?

Emma: Mwy na ma' neb yn feddwl, sweetie!

Prysor yn chwerthin. Emma yn simsanu. Chwerthin Prysor yn troi yn beswch trwm. Mae'n defnyddio'r masg oxygen. Elinor yn dod o'r conservatory gyda'r diodydd.

Owain: Dwi'n rhoid 'y mhresant i rŵan! Gnowch chi fel mynnoch chi!

Owain yn prysuro i ardal y bbq. Â Elinor nôl i'r conservatory i estyn parsel bach ac amlen. Owain yn dychwelyd gyda pharsal go sylweddol a dwy amlen. Dafydd yn estyn cerdyn – ynghyd â ffidlan â'r llinyn sydd o amgylch y bocs carbord. Am y tro, nid yw Prysor a Mared yn cyffwrdd eu diodydd.

Owain: Ydach chi isio i mi ei agor o i chi, dad?

Heb ddisgwyl ateb, Owain yn rhwygor papur lapio rywsut rywsut ac yn datgelu atlas anferth.

Owain: Sbiwch! Sbiwch be' ma' Emma a fi 'di ga'l i chi!

Prysor: Be' 'di o? Beibl William Morgan yn lliwia i gyd!

Owain: Atlas, debyg iawn! Atlas y byd!

Llew: Sneb yn sbio ar atlas, dyddia yma. Bob un dim i' ga'l ar Sgei.

Owain: *(wedi ei gythruddo)* A lle ma' dy bresant di! Ty'd yn d'laen, lle mae o, Llew? Sgin ti 'run, dyna'r gwir! Typical! Dim presant; dim pwt o gardyn hyd yn oed! Blydi typical! O ddifri' rŵan, pa gymwynas 'nest ti ag o 'rioed?

Prysor: Aros adra'.

Â hyn o sylw â'r gwynt yn llwyr o hwyliau Owain.

Elinor: Hwdwch, Dad. Pen-blwydd hapus.

Elinor yn rhoi ei pharsel bach hi iddo. Prysor yn tynnu'r papur lapio, gan ddatgelu model bach o gi defaid, du a gwyn, fel a welir yn cael eu gwerthu mewn siopau twristiaid.

Prysor: Dow!

Yn syth bin, Prysor dan deimlad, er yn ymladd yn galed i'w ladd.

Emma: Nice one, Linor!

Prysor: 'Run ffunud â Pero! Lle cest ti o?

Elinor: Dre'.

Llew: Dow! Ti 'di bod yn dre?

Elinor: *(myll bach)* Do! *(Sadio)* O ddifri', Llew, pwy ti'n feddwl sy'n rhoid y bwyd o dy flaen di – tylwyth teg?

Llew: Yn g'neud rh'wbath 'blaw nôl negas o'dd gin i.

Elinor: Ydw, weithia! G'neud sawl peth, tasa ti ond yn gw'bod.

Mared: Me time. Bwysig iawn.

Elinor: Sori. Be'?

Mared: Amser i ti dy hunan.

Elinor: Be' galwist ti o?

Mared: Me . . . time.

Cydwenu.

Elinor: Mi gymrith ei le yn ddel iawn ar y seibord, wrth ymyl y cwpana. *(Model y ci)*

Dafydd: *(wrth Mared)* Mi fydda Taid yn bridio!

Emma yn chwerthin, yn uchel a chwerw. Prysor yn rhythu ar y ci yn ei law.

Prysor: Go brin symudith hwn pan ro-i'r comand.

Daw ton o dristwch ac edifeirwch drosto. Ochneidia'n drwm. Rhythu i ryw wagle, i ryw oes o'r blaen.

Dafydd: *(yn goresgyn yr embaras)* Sgynnoch chi siswrn ga-i, Anti Lin?

Llew: 'Neith cyllall bocad tro?

Dafydd: Chwaer mam 'di modryb!

Llew yn gwneud dipyn o berfformans o fynd i'w boced ac estyn y gyllell; ei hagor; taro'r llafn a phoer dychmygol – cyn torri'r llinyn sydd o amgylch y bocs gydag un symudiad blodeuog. Synhwyrwn fod y nonsens yma er budd Mared.

Mared: And for my next trick?

Prysor yn chwerthin. Llew yn simsanu.

Dafydd: Da ra!

Ochrau'r bocs carbord yn disgyn yn ôl yn fflat gan ddatgelu model o set lwyfan: cegin fferm draddodiadol, a ffigwr o ddyn wrth ymyl y tân, a dyn wrth y drws cefn agored.

Llew: Cwt cwningan!

Dafydd: Naci! Set lwyfan! I chi, Taid. Ydach chi ddim yn ei nabod hi?

Prysor: Ddylwn i?

Elinor: Cegin Garn Fach.

Dafydd: Well spotted, Anti Lin!

Prysor: Dow!

Emma: God, ma' hwnna'n rili da, Davie! Ma'r cobwebs yna a phob dim!

Prysor: Dyna wyt ti'n mynd i fod yn 'neud? Ydi pobol yn fodlon talu am beth fel hyn?

Mared: Bydd hi'n full-size r'wbryd, Mr. Huws. Fel Dafydd.

Prysor: Y fi 'di hwn, ddyliwn!

Sef y ffigwr wrth y tân.

Dafydd: Pwy arall?

Prysor: Sgin ti ddim dynas ar y cyfyl 'chwaith.

Elinor: Ma' hi i fyny grisia – yn llnau.

Llew: Fi 'di hwn yn drws? 'Helo – oes 'ma bobol?'

Emma: Yn tŷ dy hun, Llew? O, very logical!

Prysor: Mi ga't gegin go iawn i chwara efo hi yn fa'ma – tasat ti isio!

Owain: Wel am beth cwbl, cwbl hurt i'w ddeud! Yn un peth, nid chwara mae o, ond ar gwrs tair blynadd, drud ar y diawl hefyd i chi ga'l dallt!

Prysor: *(yn bwrpasol)* Mi wn i hynny, then-ciw.

Owain: *(yn simsanu yna yn ymwroli)* Gyrfa ydi hwnna o'ch blaen chi, nid hobi!

Prysor: Hm! Dyma ydach chitha'n 'neud tua'r coleg 'na hefyd?

Dafydd: *(fymryn yn sbeitlyd)* Actores ydi Mared.

Mae'r wybodaeth honno yn codi mwy nag un ael.

Llew: Ew!

Prysor: Dow! Actores!

Owain: 'How now, brown cow', ia?

Elinor: Ydan ni wedi dy weld ti yn rh'wbath?

Llew: Wyt ti ar y telifishion?

Mared: O! Na.

Dafydd: Mi fydd.

Mared: Whilo am waith yn yr hydref.

Llew: Esu! Film star!

Prysor: Wel! Mi gei roid perfformans i mi pryd bynnag leici di, 'mechan i!

Wrth ddweud hyn Prysor yn gwasgu pen-glin Mared am yr eildro – yn gletach, a dal ei afael yn hwy. Wyneb Mared yn tynhau yn sylweddol.

Emma: Behave, Prysor!

Dafydd: Tynnu coes mae o!

Prysor: Gwasgu coes!

Emma: Dwad r'wbath wrtho fo, Owain!

Owain: *(yn bwrpasol, ac yn arwyddocaol yn drist)* Be' dwi haws â deud dim wrtho fo?

Prysor yn tynnu ei law i ffwrdd yn y diwedd. Mared yn gwasgu ei ben-glin o – yn galed iawn.

Mared: Touche, Mr. Huws!

Prysor yn chwerthin, wrth ei fodd am ennyd; Llew yn rhythu – a ffantaseiddio yn ddiau. Rhy Mared glec i'r wisgi.

Dafydd: Be' ti'n 'neud, Mared?

Mared: Os un arall o'r rhain i ga'l?

Emma / Dafydd: Nac oes!

Emma: Wir rŵan, del, less is more, ia?

Elinor yn cymeryd gwydr gwag Mared a gadael am y conservatory. Emma yn ffromi.

Dafydd: Anti Lin!

Mared: Beth yw'r broblem, Dafydd?

Dafydd: *(yn bwyliog)* Y chdi – yn goryfed!

Mared: Ti – yn gorymateb!

Dafydd: Deudwch wrthi, Taid!

Ond Prysor yn gwenu yn wirion a chymeryd llymaid o'i wisgi.

Dafydd: Yli, Mared, dwi'n ddiolchgar i ti am y lifft a phob dim, ond dwyt ti ddim yn meddwl bydd dy ffrindia di yn dechra poeni amdanat ti?

Mared: Falle. Keep 'em on their toes! 'Na motto fi.

Dafydd: Os ei di rŵan mi gyrhaeddi di cyn iddi dwllu!

Fel y daw Elinor o'r conservatory gyda diod Mared.

Elinor: Geith aros os di isio!

Dafydd: Dydi hi ddim isio aros, Anti Lin!

Prysor: Ma' croeso iddi 'neud!

Dafydd: Os ei di rŵan mi fyddi di'n OK. Ond dau wyt ti wedi ga'l!

Mared yn rhoi clec i'r trydydd wisgi ar ei thalcen. Prysor yn chwerthin. Dafydd ac Emma yn corddi. Mared yn dechrau chwerthin yn afreolus. Elinor yn dechrau chwerthin i'w chanlyn.

Emma: Dach chi i gyd yn friggin' nuts!

Prysor: Gwranda, 'mach i – os wyt ti'n aros – ac os daw Lloyd – fel ma' rhai yn gweddïo y daw o! – Fyddat ti'n fodlon bod yn dyst i mi?

Emma: What!

Mared: Tyst?

Prysor: Dipyn o fusnas. Be' amdani?

Emma: Na, Prysor!

Mared: Whatever!

Prysor: *(wrth Elinor)* Ffonia Lloyd! Dwad wrtho fo am beidio â llusgo neb i'w ganlyn.

Owain ac Elinor yn cyfnewid edrychiad arwyddocaol, gobeithiol.

Prysor: Dwad wrtho fo . . . am beidio â phoitsio heno; 'neith bora 'fory'r tro yn iawn.

Emma: Bora 'fory? God's sake, ddyn, you could be fucking dead erbyn bora 'fory!

Pawb yn rhythu ar Emma.

Cerddoriaeth *(yn chwarae trwy gyfnod y newid)*

Newid. Cyfleu:
Y wledd farbaciw; Prysor a Mared yn closio; Llew yn gwneud mwy o gaer iddo ei hun â'r bêls gwair; Llew yn gadael i biso; Emma ar bigau, yn ceisio cael sylw Prysor ond yn methu; Elinor yn cadw llygad barcud ar Emma; diddordeb Mared yn Elinor yn cynyddu; Elinor yn brysur, yn ôl ac ymlaen, yn rhedeg a rasio; Elinor ydy'r unig un sydd yn sefyll i fwyta; Dafydd yn rhoi'r gorau i geisio dylanwadu ar Mared; Dafydd yn mynd i'r tŷ.

Y gerddoriaeth yn peidio.

Y golau'n cilio nes ei bod yn dywyll.

Act ii

Cyfyd y golau.

Mae hi'n fin nos, oddeutu dwyawr yn ddiweddarach. Olion gwledda ac yfed, platiau plastig a gwydrau ym mhobman – yn enwedig ar yr hen fwrdd gardd a'r bêls o wair. Owain ar ei ben ei hun, ffôn lôn wrth ei glust, golwg ddifrifol iawn arno. Prysor a Mared ar yr un bêl wair ag o'r blaen, yn sipian caniau o lagyr erbyn hyn. Mae'r ddau yn reit joli, a Prysor yn gwrando'n werthfawrogol ar Mared yn canu:

Mared: 'She took me to a cafe,
I asked her if she would stay,
She said, "okay",
Oh I was only 24 hours from Tulsa,
Ah only one day away from your arms . . .'

Emma yn tramwyo'n aflonydd. Ymddygiad Prysor a Mared yn ei chorddi. Mae hefyd yn cadw llygad barcud ar Owain; yn aros ei chyfle. Daw Llew i'r golwg o gefn yr ardd yn cau ei falog. Ni allwn lai na gweld y staen wlyb yn ardal ei afl. Mae'n rhythu yn lled-genfigennus ar Prysor a Mared, cyn ailsetlo ar yr un bêl o wair ag o'r blaen. Mae'r tocyn o ganiau gwag wrth ei draed wedi cynyddu.

Owain: *(i'w ffôn)* No, Toby, don't come here. I'll come to you. *(Diffodd y ffôn)* Rhaid i mi.

Emma: Not for long, gobeithio. Ti'n mynd i ddeud rh'wbath wrtho fo? *(Prysor)*

Owain yn rhythu arni.

Emma: Mae o'n byhafio fatha prat!

Owain: Mae o'n ca'l sbort! Gad llonydd iddo fo. Dydi hi ddim yn ddiwedd y byd.

Emma: Ydi, mae o! Iddo fo; a ni.

Owain: Be' sy matar a'n't ti? What's going on? Bydd yn onast efo fi, cariad bach.

Emma: Be' sa rh'wbath yn digwydd cyn i Lloyd gyrra'dd 'fory?

Owain: Ga-i fod yn fastad hunanol am funud? Sa ots? Ei? Mi fysa'n Godsend, ti ddim yn meddwl? Mae o ar ei last legs p'run bynnag! Be' 'di d'wrnod, un ffor' neu'r llall, rhwng ffrindia? *(Oedi; ei chysidro)* Ti'n fud, siwgwr candi mêl.

Emma: Fydd o ddim mewn fit state i weld y soddin' papur, heb sôn am seinio!

Owain: Wel gora oll! Tydi 'run ohonon ni isio fo seinio! *(Oedi; ei chysidro yn bwrpasol)* Tydi 'run ohonon ni'n gw'bod be' mae o'n mynd i seinio. Nac ydan, Emma?

Edrychiad, cyn i Emma barhau.

Emma: Poeni ydw i . . . am be' ti'n mynd i ddeud wrth Toby Jug yn y Ship later on? Wrth Sean Donaldson, cos mae o'n bownd o fod yno hefyd, propping up the bar as per usual! Leiciwn i fod yn bry' ar y wal, I can tell you!

Owain: Trafodaeth busnas rhwng dynion fydd Toby a Sean yn ddisgw'l!

Emma: Shit and bollocks! Ma'r hwch wedi mynd trw'r ffrigin' shop a ma' hi'n payback time!

Owain: Chlywis i mo'na ti'n cwyno, tro dwytha' brynis i gar newydd sbon i ti!

Emma: *(rhyw dristwch)* Ydw i wedi cwyno 'rioed? Ti 'di clywad fi'n deud 'na' 'rioed, Owain? I think not. Dwi 'di g'neud yn duty – and then some!

Owain: *(hyn yn ei frifo)* Rho gora iddi.

Emma: Mae hi'n wir!

Owain: Dyna fydd hi eto, Emma; g'neud dy ddyletswydd?

Mared: *(yn canu)*
'. . . And I caressed her, kissed her,
Told her I'd die before I would let her out of my arms,
Oh it was only . . .'

Prysor / Llew: *(ymdrech garbwl, ansoniarus i ymuno)* '24 Hours from Tulsa . . . !'

Mared yn piso chwerthin.

Owain: Dyna ti'n trio 'neud: gwasgu'r diferyn ola'? Gwthio'r gyllall reit i mewn yn y fargan?

Emma: Dwi'n trio . . . g'neud what's best i bawb.

Daw Dafydd i'r golwg o'r tŷ. Ar yr un pryd, Prysor a Mared yn chwerthin – Mared yn uchel a chwrs. Try chwerthin Prysor yn beswch ffiaidd. Owain yn ysgwyd ei ben. Â i'r cefndir; eistedd yn rhywle ar ei ben ei hun; yn ffidlan â'i ffôn lôn.

Emma: Ti'n mynd i ddeud rh'wbath wrthi?

Dafydd: Be' fedra-i ddeud?

Emma: Ma' hi'n totally diarth – obviously unhinged – a ti'n dragio hi fa'ma! 'Nest ti feddwl am Taid o gwbl?

Dafydd: To'n i ddim yn sylweddoli ei fod o mor sâl! Nac ei bod hi . . . mor anodd. Mi yrrodd y car 'na sgynni hi fel peth wirion, yr holl ffor' o Gaerdydd! Fi oedd angan tŷ bach fwya' pan gyrhaeddon ni, nid y hi!

Emma: Ddylat ti fod wedi dwad ar y trên!

Dafydd: Gollis y trên..! P'run bynnag, fedrwn i ddim fforddio'r ticad. Sgynnoch chi bres ga-i?

Emma: *(gwatwar)* 'Sgynnoch chi bres ga-i'! Dyna w't ti'n mynd i fod yn 'neud ar hyd dy oes; rhedag at dy fam? Plis, Mam, dwi'n sgint, sgynnoch chi bres ga-i! Bw hw!

Dafydd: Olreit! Anghofiwch 'mod i wedi gofyn!

Emma: Fydda-i ddim yma am byth, Davie – dyna dwi'n trio'i ddeud.

Dafydd: Dwi yn dallt. Rhaid gin i ych bod chi wedi ca'l llond bol ar 'y nghadw i! Chi a Dad.

Emma: Ti a fi'n mynd i fod yn OK!

Dafydd: Ydan ni? Ydi hi yn wir bo' chi wedi gorfod ca'l gwarad o staff Yr Angor? Anti Lin oedd yn deud!

Emma: Paid â gwrando arni hi!

Dafydd: Ydi'r Angor yn mynd i gau?

Emma: Fydda-i yn agor yn ll'gada 'fory? 'Nath John Lennon ddeffro a meddwl: ma' rhyw loon yn mynd i 'n lladd i heddiw? Maybe. Ond so what? Angor yn cau, rh'wbath arall yn agor. Meri-go-rownd.

Dafydd: Bron pob dim mae o'n gyffwrdd yn fethiant. Sut mae o'n dal i fynd?

Emma: Ma gynno fo deulu. Support.

Dafydd: Taid dach chi'n feddwl?

Emma: Pawb yn g'neud ei bit.

Dafydd: Taid sy'n talu am 'y ngholeg i? Ydi o . . . ? *(Atal)*

Emma: Be'?

Dafydd: Ydi o yn mynd i farw?

Emma: Wel be' w't ti'n feddwl? Ond yn wahanol i John Lennon, mae o'n gw'bod.

Dafydd: Yn fuan oedd gin i. Dyna pam ma' Lloyd Twrna'n galw? *(Â'n lled-emosiynol)* Be' dan ni'n mynd i 'neud hebddo fo?

Emma: Mi fydd gin ti fi, Davie! Mi fydd gin ti fi!

Gan ei anwesu a'i gusanu. Dafydd yn ei gwthio i ffwrdd.

Dafydd: Peidiwch wir!

Emma: Hei, paid â phwshio fi i ffwr'! Don't kill the golden goose, sweetie.

Dafydd: Argol, Mam, siaradwch yn iawn, 'nowch chi?

Emma: *(yn gariadus)* Dwi'n siarad efo chdi, idiot.

Prysor: Aaaaa!!!

Gan ddefnyddio ei ffon, Prysor yn ceisio stryffalgu ar ei draed.

Prysor: Ma' 'nghoesa i 'di cyffio i gyd!

Mae'n cael trafferth. Mared yn edrych; dim math o fwriad helpu.

Dafydd: Helpa fo! Ydach chi'n iawn, Taid?

Prysor: Rho hwb i mi, 'ngwas i!

Dafydd yn helpu Prysor ar ei draed; Mared yn gwneud hanner ymdrech dila i helpu.

Prysor: Dowch efo fi rownd y stad am dro bach!

Yn ystod yr isod, Dafydd a Mared yn hebrwng Prysor rownd yr ardd. Proses araf, a Prysor yn cael seibiant sawl tro i gael ei wynt.

Llew: Ydach chi am i mi gerad efo chi? 'Na-i os dach chi isio!

Fe'i hanwybyddir.

Llew: 'Na-i r'wbath.

Emma: Dach chi'n OK am ddiod, Prysor?

Fe'i hanwybyddir. Hyn yn corddi Emma o'r newydd.

Emma: Ddylat ti ddim hel dy draed i Ship? Mi fyddan yn dy ddisgw'l di!

Owain yn ysgwyd ei ben.

Emma: What?

Owain: Dwi ddim am fynd.

Emma: No way! Owain, sneb yn cachu ar Toby Jug a Sean Donaldson!

Owain: Be' fydda'r pwynt? Y chdi oedd yn iawn: be' dwi'n mynd i ddeud wrthyn nhw?

Emma: Bod gin ti card up your sleeve! Ace in the pack! Deud unrhyw shit! Os ti ddim yn mynd . . . mi fyddan nhw'n dwad fyny i fa'ma i gnocio ar y drws.

Owain: Mentro i'r topia' 'ma? Dim peryg! Ddaw neb i fa'ma. Mi dan ni'n saff yn Garn Fach.

Mae Prysor, Dafydd a Mared yn dal i gerdded rownd yr ardd.

Prysor: Mi oedd Mared yn deud ma' ti ydi llywydd yr undeb tua Caerdydd 'na!

Mared: Bachan pwysig iawn! Wyt, Dafydd?

Prysor: Do'ddat ti fawr o sôn!

Mared: Mae e'n rhy modest, Prysor.

Prysor: Choelia-i!

Dafydd: Ofynnwyd i mi, ac mi sefis. Dim mwy iddi hi.

Mared: Itha prin, ca'l rhywun dibrofiad o'r flwyddyn gynta'.

Dafydd: Roedd hi'n broses ddemocrataidd!

Prysor: *(yn bryfoclyd)* Wyt ti'n ddibrofiad?

Mared: Ma' cariad Dafydd yn mynd i'r capel! Very sweet.

Dafydd: Be' sgin hynny i' 'neud efo dim! O leia' ma' gin i gariad. Dwi eto i dy weld di efo boi ar dy fraich!

Mared: Ti ddim yn gweld beth sydd o dy fla'n di.

Prysor yn cydio yn dynn yn ei braich.

Prysor: Sgin ti gariad? *(Angerdd)* O, g'na di'n fawr ohono fo! G'na di'n fawr o d'amsar!

Mared: Wy'n priodi, flwyddyn nesa'.

Prysor / Dafydd: Wyt ti wir? / Priodi?

Dafydd: Priodi pwy?

Mared: Ceri.

Dafydd: Ceri . . . Lewis? Ti'n priodi Ceri Lewis? Nac wyt ddim! Mae o wedi dyweddïo efo Miriam Whistler!

Mared: Laing.

O hyn ymlaen, Prysor yn mynd yn fyrrach ei wynt; gorfod aros; dechrau pesychu.

Dafydd: Ceri Laing! *(Chwerthin; difrifoli)* Ti'n . . . priodi Ceri Laing? Ail flwyddyn? Chwara cello?

Mared: Yn Prague; yn yr hydref.

Prysor: *(er ei fod yn peswch yn ffiaidd)* Lle ma' fan'o?

Dafydd: *(blin)* 'Drychwch yn yr atlas roddodd Dad yn bresant i chi! *(Ychwanega yn syth)* Sori, Taid! *(Cysidro Mared yn bwrpasol)* Dwi'n . . . nabod Ceri Laing.

Mared: Wel – dyt ti ddim yn nabod fi yn dda iawn.

Prysor yn peswch yn uffernol erbyn hyn, ac yn ymladd am ei wynt. Llygaid Mared a Dafydd wedi cloi. Owain, Llew ac Emma yn ymwybodol o gyflwr Prysor, ond yn rhyfedd o ddiymadferth. Prysor yn cyfeirio at y canister oxygen a'r mwgwd (dyna mae o eisiau). Elinor yn cyrraedd (trwy'r conservatory) o'r tŷ.

Elinor: Nefi blw! Be' sy matar ar y dyn 'ma!

Emma: W't ti wedi ffonio Lloyd? Be' ddeudodd o?

Elinor: Dowch â fo i ista, wir! Be' o'dd ar ych penna' chi, yn mynd â fo i grwydro! Dowch!

Mared: Dafydd o'dd moyn mynd ag e i gerdded.

Dafydd: Ol! *(Yr ast)*

Elinor: Hogyn gwirion!

Emma: Ddim Dafydd 'nath!

Llew: Rho'r mwgwd am ei wynab o, Lin!

Owain: 'Sa'm well iddo fo fynd i orfadd?

Elinor: 'Steddwch! Sadiwch!

Elinor yn helpu Prysor i eistedd; rhoi'r mwgwd ar ei wyneb, a.y.y.b. Prysor yn anadlu'n ddwfn; dod ato ei hun, dow-dow. Elinor yn aros wrth ei ymyl.

Mared: O's rh'wbeth wy'n gallu 'neud i helpu, Linor?

Elinor: Mi ddaw, rŵan. Diolch i ti 'run fath.

Cydwenu cynnes. Dafydd yn rhythu ar Mared; hithau yn lled-wenu yn bryfoclyd.

Elinor: *(tanio)* Fedra-i ddim diflannu am ddau funud heb i betha fynd o chwith!

Emma yn hofran yn anniddig.

Emma: W't ti wedi ffonio Lloyd?

Fe'i hanwybyddir. Emma yn hoelio Prysor ag edrychiad herfeiddiol. Prysor yn anesmwytho. Tynnu'r mwgwd.

Prysor: *(mae'n ymdrech)* Siaradist ti efo fo?

Elinor yn sodro'r mwgwd yn ôl ar ei wyneb.

Elinor: Do! Pob dim yn iawn. Rŵan byhafiwch!

Elinor yn prysuro i hel llestri / gwydrau budron. Emma yn dal i hofran o gwmpas Prysor.

Mared: Ti moyn i fi ishte 'dag e?

Elinor: Os leici di.

Emma yn ffromi. Mared yn setlo wrth ymyl Prysor.

Mared: *(mwmial)*
'. . . And I caressed her, kissed her,
Told her I'd die before I would let her out of my arms . . .'

Elinor yn mynd â'r llestri / gwydrau budron i'r conservatory. Owain yn gweld ei gyfle a'i dilyn.

Owain: Be' ddeudist ti wrth Lloyd go iawn?

Elinor: Deud . . . g'na-i ffonio eto, dechra'r wsnos 'wrach. Pan fydd o wedi dwad ato'i hun.

Edrychiad o ddealltwriaeth rhwng Owain ac Elinor.

Elinor: Ar boen dy fywyd, dim gair wrthi hi.

Bu Llew yn anesmwytho cryn dipyn, o sylwi ar Elinor ac Owain yn cynllwynio yn y conservatory. Mae'n gadael ei bêl wair yn bwrpasol. Owain yn ymwybodol ei fod ar ei ffordd.

Owain: Deud dim wrth hwn 'sa ora hefyd.

Llew: Wel? Dowch 'laen, sut ma' ei dallt hi? Ty'd o'na, Lin, ma' golwg ci lladd defaid a'n't ti ers m'itin!

Elinor: Sgin i ddim i'w guddio.

Llew: Wyt ti wedi siarad efo Lloyd? Dyna ma' Dad isio! Mi wyt ti'n mynd yn groes i'w 'wyllys o fel arall!

Owain: Wyt ti am ei weld o'n ei newid hi, Llew? Er gwaeth.

Llew: Newid be'?

Elinor: Deud dim wrtho fo, ia Owain?

Owain: Ma' Dad yn sâl! Mae o'n rhy sâl i 'neud penderfyniada call.

Llew: Sâl yn ei ben ti'n feddwl?

Elinor: Ma'n rhaid i ni forol amdano fo.

Llew: Ia, ond . . . i fi ddaw Garn Fach. Newidith o mo hynny! Dad cafodd hi gin Taid; fynta gin ei dad o. Dyna'r drefn.

Elinor: Trefn! Sgin neb barch i beth felly heddiw, siŵr!

Elinor yn gadael y conservatory.

Llew: Ma' gin i; a ma' gin Dad, garan-ffwcin-tid i ti!

Owain: Wyddost ti mo'i hannar hi.

Llew: Y fi ydi'r hyna', waeth i ti heb na gwadu!

Owain: Ma' 'na fyd allan yn fa'na, Llew, tasa ti ond yn trafferthu sbio! Be' ti haws a . . . a . . . moesymgrymu wrth allor Sky os na fedri di 'neud rh'wbath efo fo? Be' ma' Sky wedi roid i ti 'rioed, mewn difri'? Dwyt ti ddim i weld fymryn callach! Yn dal i godi dy gytia ieir; yn dal i fynd i ffair fel tasat ti'n blentyn; yn brolio dy fod di'n brynwr a gwerthwr cŵn, pan ma' pawb yn gw'bod ma'r hen ddyn ydi'r pen Pero go iawn. Yn dal i alw dy hun yn 'fugail', for God's sake!

Llew: Dwi'n hel defaid; be' arall dwi fod i alw'n hun?

Owain: Contractor! Labrwr! Yn y Beibl ma' lle bugeiliaid! Wyddat ti fod y Titanic wedi suddo? Wyddat ti . . . bo' nhw'n cerddad ar y lleuad rŵan?

Llew: *(yn emosiynol iawn)* Lleuad llawn heno, medda Lin.

Owain yn emosiynol iawn am ennyd; mae'r ddau yn llonydd; yn hel meddyliau. Yna, Owain yn myllio o'r newydd, gan i Llew ei atgoffa o'i fam, a'i thynged hi.

Owain: Oedd rhaid i ti?

Owain yn gadael y conservatory. Mynd i'r tŷ. Yn ystod yr uchod – ers iddi hi adael y conservatory – bu Elinor yn hel rhagor o lestri / gwydrau budron. Llew yn dal i dindroi; yn hel meddyliau yn y conservatory wrth i Elinor gyrraedd. Mae'n pigo gweddillion y bwyd yn ddibwrpas. Gwêl Mared ei chyfle. Mae'n hel rhai o ganiau gwag Llew a dilyn Elinor.

Elinor: O! Diolch.

Llew: Esu! 'Na't wraig dda i rywun.

Mared: Neu ŵr!

Llew: Ia! Go dda. Wyt ti . . . ddoi di i ista ata-i am funud?

Elinor: Cer, Llew.

Llew yn ufuddhau yn syth. Gadael, yn ôl i'r ardd.

Elinor: Sori! Mae o'n mwydro braidd pan mae o yn ei gwrw.

Mared: 'Siarad shit' yw hwnna?

Elinor: Wel, nid dyna'n union fyddwn ni'n ddeud yn y topia 'ma ond . . . !

Cydwenu cynnes.

Mared: Ti'n leco byw 'ma, Linor?

Elinor: Rhaid i bawb fyw yn rh'wla. Pan ddoth f'enw i o'r het, fa'ma landis i!

Mared: 'Da dy 'lot' o'n i'n meddwl.

Elinor: 'Mots gin i! Duw, mae o'n iawn! Wsti!

Mared yn syllu; gorfodi Elinor i fynd yn ddyfnach.

Elinor: Dyna ddaru Mam.

Mared: *(yn hwyliog)* Sdim esgus gwell 'da ti?

Elinor yn simsanu.

Mared: Paid â becso. O'dd mam fi yn gwmws 'run peth. Rhedeg! Dal i 'neud. Dad; brawd; fenyw drws nesa'. Pawb! Pathetig.

Elinor: Dyna fel wyt ti'n 'y ngweld i?

Mared: Dwyt ti ddim yn hapus 'da'r sefyllfa.

Edrychiad – ond Elinor ddim cweit yn barod eto. Gedy'r conservatory. Wrth iddi ddod allan mae Emma yn ei sodro ei hun wrth ymyl Prysor.

Emma: Dach chi i weld wedi blino, Prysor. Ydach chi isio mynd i orfadd?

Elinor: Nac 'di! 'Neith mymryn o awyr iach fyd o les iddo fo!

Emma: Jyst deudwch, OK?

Prysor: Iawn lle rydw-i am rŵan.

Emma: Iawn am ddrinc?

Prysor: Fydda'm ots gin i lymad.

Elinor: Dim byd meddwol!

Dafydd: Chwara teg, Anti Lin! Wneith un bach fawr o ddrwg.

Elinor: Ac ers pryd wyt ti'n gwisgo ffedog?

Emma: Lagyr, Prysor?

Prysor: Sa' lle rw't ti. Eith Linor i'w nôl o.

Elinor: O! Eith hi wir?

Prysor: Eith, os ydw i'n gorchymyn!

Erys Elinor yn llonydd.

Emma: Ma' gynno fo hawl i ga'l be' mae o isio! *(Yn bwrpasol)* At this point.

Daeth Mared allan o'r conservatory yn ystod yr uchod. Mae'n hofran. Rhy ei phresenoldeb hyder i Elinor.

Elinor: A be' am yn hawlia i?

Emma: Pwy . . . ?

Elinor: Fi! Nid yn oes y cerrig ydan ni'n byw rŵan, sti! Dwi'n darllan 'y mhapura!

Emma: Mae o isio un drinc.

Elinor: Mae o isio'r gasgan; 'i ffor' ei hun!

Emma: Un drinc!

Elinor: Am dy fod ti'n deud, ia Emma?

Prysor: Y fi . . . sy'n deud.

Elinor: Olreit ta. Ond dwi'n siŵr ma'r peth dwytha' ydach chi am ei weld ydi hen le annifyr, Dad; a Defi adra' a phob dim, ynte, Dad?

Rhy bwyslais pur arwyddocaol ar y gair 'Dad'. Prysor, Emma a Llew yn anesmwytho. Yn ystod yr uchod, dychwelo Owain o'r tŷ.

Owain: Be' 'di matar rŵan eto?

Elinor: Y wraig 'ma sgin ti sy'n codi twrw!

Emma: Ma' Prysor yn nacyrd ac isio mynd i orfadd!

Owain: Ydach chi, Dad?

Dafydd: Chlywis i mo'no fo'n deud.

Emma: Dafydd!

Gan wneud arwydd cau zip ar draws ei cheg.

Elinor: Ol am un dda i siarad!

Llew: Chlywis i mo'no fo 'chwaith.

Emma: Mae o isio rh'wbath i' yfad ond ma'r chastity belt yn deud 'na'!

Elinor: Gorfadd o'dd hi funud yn ôl!

Owain: Ty'd o'na, Lin! Dos i nôl diferyn iddo fo!

Mared: Nac o'ch chi'n gw'bod? Ma' Linor wedi penderfynu rhoi stop ar bopeth. Down tools!

Elinor: Ydi hi?

Owain: Be' ddeudist ti?

Dafydd: Dim o dy fusnas di, Mared!

Elinor: *(ymwroli; mae hyn yn sbort am y tro)* Ydi! Ydi, ma' hi hefyd!

Prysor: Be' sy matar a'n't ti, yr hulpan!

Elinor yn simsanu mymryn, ond mae gwên gefnogol Mared yn ei sbarduno i ddal ati.

Elinor: Wel, gan ych bod chi'n gofyn: dwi wedi ca'l llond 'y mol ar orfod g'neud i bawb ond fi fy hun! Llond 'y mol ar fod wastad yn Siân – a byth yn Siôn!

Prysor: Ma' giât lon i'r cyfeiriad acw!

Elinor: Watsiwch chi! Mi fydda-i drwyddi un o'r dwrnodia nesa 'ma!

Emma: O, priceless! A lle fysat ti'n mynd, Linor? Be' fysat ti'n 'neud? Pwy cyma ti?

Elinor: Fydda'm rhaid i neb! Mi 'nown yn iawn ar 'y mhen yn hun, thenciw!

Llew: Byw ar dy ben dy hun bach?

Elinor: Pam lai? Yn dre', neu . . . *(simsanu mymryn; ailymwroli)* fflat bach yn dre'!

Llew: Ar y soci-soci, mwn!

Elinor: Ma' 'na ddega yn g'neud! Ma' Mrs. Halliwell – o York – fydda'n arfar dwad yma i gampio 'stalwm yn hogan, cofio? – Wel, ma' hi'n ddynas rŵan efo tyad o blant; yn byw yn Gesail ac yn g'neud yn champion ar y wlad!

Prysor: Peidiwch â gwrando arni yn berwi ddiawl!

Elinor: Naci, Dad, nid berwi – siarad o'r galon! Ydach chi wir yn credu ma' dyma ydw-i wedi bod isio 'rioed? Ydi'r oen bach yn glynu wrth din y ddafad trw' gydol ei oes? Dim peryg! Mae o'n mentro i'r cae nesa' am swae; mentro'n bellach hefyd os medrith o!

Llew: Ol ddy we i'r lladd-dy.

Elinor: Sa well gin i hynny na phydru dow-dow yn fa'ma!

Prysor: Gnawas anniolchgar!

Elinor: Be'! Dwi i fod yn ddiolchgar achos 'mod i wedi gorod madal rysgol yn un ar bymthag oed; madal, a diodda gweld Sioned Garrag Lefn yn mynd yn 'i blaen, i goleg a gyrfa?

Prysor: Bu farw dy fam!

Elinor: A 'ngneud i'n sgifi! 'Ngneud i'n . . . hen cyn f'amsar.

Mared: Ti ddim.

Prysor: *(yn rhesymol)* Pa ddewis arall o'dd gin ddyn o dan yr amgylchiada?

Elinor: Dwi isio . . . be' sy'n ddyledus i mi. Fel pawb arall. Dim mwy, dim llai. Dwi isio fy siâr!

Owain: O ddifri' – mi fysat yn gada'l Garn Fach am dre'?

Elinor: Dyna 'nest ti!

Owain: *(yn sych)* Pa ddewis arall o'dd gin ddyn o dan yr amgylchiada?

Mân edrychiadau rhwng Emma / Prysor / Elinor / Owain. Dafydd yn synhwyro. Mared yn chwilfrydig wrthrychol. Llew yn anesmwytho.

Llew: *(yn bryfoclyd hwyliog)* 'Wrach doet ti ar draws y cariad 'na oedd gin ti unwaith!

Elinor: Pa gariad?

Llew: Yn dre'! Yn ista ar y ffrynt, yn yfad Sbesial Brw!

Elinor: Paid â rwdlan!

Llew: Y Sais, chwythodd i dy glust ti ar y Llechwedd pan o'ddat ti'n llafnas!

Emma: *(atgof; chwerw)* Sweet sixteen.

Elinor: Mi o'n i'n hŷn; yn ddeunaw.

Emma: Speak for yourself, sweetie.

Elinor: Toedd o ddim yn gariad i mi! *(Ond mae'n cofio yn hiraethus)* Ar goll o'dd o. Methu ffendio'i ferings.

Llew: Mi glywodd dy ogla di, yn reit siŵr!

Elinor: Paid â siarad yn fudur!

Prysor: Rhowch gora iddi i gyd! Sgin yr hogan *(Mared)* ddim diddordeb yn y Llechwedd siŵr! Mwy na sgin neb arall tasa hi'n mynd i hynny!

Elinor: Neb isio ca'l 'i atgoffa, nes ati.

Mared: Odi fe'n le special?

Prysor: Cors fynyddig!

Elinor: Darn bach o nefoedd! Yn yr hen ddyddia.

Llew: Mynd yno efo Mam pan o'ddan ni'n blant!

Prysor: Anial a digroeso!

Llew: Do'ddan, Ow?

Elinor: Dihangfa . . . i amball un.

Mared: I ti a dy gariad?

Elinor yn gwenu yn swil.

Llew: O, ylwch chi! Ma' hi'n cyfadda rŵan!

Emma: In her ffrigin' dreams!

Mared: *(tanio)* Pam cyfadde'? Cydnabod rhywioldeb yt ti, nage cyfadde'!

Llew: 'Rioed 'di gorod g'neud 'run o'r ddau 'yn hun.

Mared: O'dd e'n le special i ti, Linor?

Elinor: Oedd! Ia, oedd. Noson fwyn. Lleuad lawn. Debyg iawn i heno.

Mared: Lleuad dyner!

Elinor: Tydi o!

Yn reddfol, Elinor yn cyffwrdd braich Mared â'i llaw. Eiliad yn unig.

Elinor: Er, toedd o ddim yn dyner iawn efo Mam.

Mared: Bydden i ddim yn mindo mynd lan 'na i weld.

Elinor: A-i â chdi yno os leici di!

Prysor: Deith 'run o dy draed di ar y cyfyl, ti'n clywad? Dw't ti ddim i fynd â neb yno!

Dafydd: Pam, Taid?

Elinor: Deudwch wrtho fo!

Emma: Dim byd i ddeud!

Dafydd: Ma' hi'n ugian mlynadd 'leni tydi, Anti Lin?

Elinor: Ugian mlynedd union i heno.

Dafydd: O! Wyddwn i mo hynny. Wel, mwy fyth o reswm i . . . *(atal)*

Owain: I be', Dafydd? Dathlu?

Dafydd: Cofio! Cofio Nain; cofio'r ddamwain.

Elinor: *(yn ddirmygus)* Damwain!

Owain / Llew: Dyna oedd hi!

Prysor: Dyna farn Major Roache ei hun!

Elinor: Ac ydi well gynnoch chi gredu rhywun fel'na, dest am bod gynno fo fwstash handlan gwirion a chlos pen glin?

Prysor: Mi gafodd ei addysg yn Llundan! Mi gafodd ei anrhydeddu! Mentioned in despatches, dim llai!

Elinor: Credu lembo o Sais yn wynab y ffeithia!

Dafydd: Pa ffeithia?

Prysor: Fod dy Nain wedi mynd i grwydro, ac wedi mentro'n rhy agos at ymyl y ceunant!

Llew: Arnoch chi oedd y bai!

Prysor: Be' ddeudist ti? Be' ddeudodd y diawl bach?

Llew: Tasa chi wedi gada'l i mi ffensio mi fydda'r hen ledi yn dal efo ni heddiw!

Elinor: 'Sa pwt o ffens ddim wedi bod yn rhwystr iddi, paid â siarad drw' dy het! Ddim i'w gorchwyl hi, noson honno! Wyt ti wedi bod yn benderfynol o 'neud r'wbath 'rioed, Mared?

Prysor: Meiddia di!

Mared: Gad'el adre'? Cied y drws â pido mynd nôl byth.

Elinor: Dyna ddaru Mam.

Dafydd: Be' ddaru hi?

Elinor: Penderfynu cau y drws am byth.

Dafydd: Nid damwain? Dyna ydach chi'n trio ddeud?

Llew: Paid â gwrando ar y gojian glai! Mam? Dynas capal? G'neud peth felly, a finna'n dal ei hangan hi; yn dal yn blentyn iddi?

Llew yn codi, can yn ei law. Â at set theatr Dafydd (sydd wedi ei gosod ar y bwrdd gardd erbyn hyn). Mae'n dodi'r can ar yr aelwyd.

Llew: Dyna hi, yldi – yn y gegin yn 'y nisgw'l i; yn sefyll o flaen yr Aga yn pletio'i bysadd. 'A be' fuost ti'n 'neud yn rysgol 'na h'iw, Llew bach?' 'Breuddwydio am ga'l dwad adra, Mam! Breuddwydio am fynd i'r weirglodd efo'r cŵn'.

Elinor yn cael ei dal gan yr emosiwn.

Elinor: Dach chi'n cofio'r cnebrwn?

Prysor yn ochneidio'n drwm.

Elinor: Cyrra'dd lôn bost, a phlysman yn saliwtio! Saliwtio Mam, fel tasa hi'n rhywun o bwys!

Owain / Llew: Oedd hi!

Emma: G'neud i bawb! Pan 'nath Alan a Tony grashio ar y moto beic, o'dd plysmyn galore yno, ac mi o'ddan nhw'n saliwtio i gyd!

Elinor: Be' wyddost ti? Do'ddat ti'm yno! Do'dd gin ti mo'r gwaelod i ddangos wynab, rhag ofn be' ddeuda pobl! Ond mi oedd pawb yn gw'bod i ti ga'l dallt – yn gw'bod radag honno, ac yn gw'bod heddiw hefyd, 'rhen chwaer!

Dafydd: Nid damwain? 'Neith rhywun yn atab i?

Erys pawb yn fud.

Dafydd: Ond . . . pam? Pam . . . fydda hi'n lladd ei hun?

Llew: Ddaru hi ddim! Hon sy'n berwi! *(Elinor)*

Dafydd: Ydach chi, Anti Lin?

Owain: Ydi.

Elinor: Wyt titha am wadu?

Owain: Ydw, heno! Be' 'di'r pwynt – heno? Ma' Dafydd yn iawn: cofio sy'n bwysig. Ei chofio hi fel ag yr oedd hi.

Elinor: Cyn i'w bywyd hi fynd yn uffern ar y ddaear!

Emma: Dim ots be' ddigwyddodd! Mae o wedi digwydd! Life is for the living, sweetie!

Elinor: Chafodd hi ddim byw – diolch i . . . *(atal)*

Dafydd: I bwy?

Emma: Leave it, Davie. Leave it! OK? Trystia fi!

Owain: Gwranda ar dy fam. Mi dan ni i gyd wedi blino; i gyd wedi ca'l tropyn yn ormod.

Elinor: Tydw i ddim!

Owain: *(yn hwyliog)* Be' ma' Mared yn feddwl ohonon ni, dwn i ddim wir!

Mared: Wy'n gwbl intrigued. Moyn gw'bod mwy!

Dafydd: *(wedi ennyd o oedi)* A finna. Liciwn inna w'bod mwy.

Emma: Go on, Linor. Dwad fwy o glwydda wrtho fo.

Elinor yn oedi. Simsanu. Mae'r cam eithaf yn dal yn dalcen caled. Rhy hyn hyder o'r newydd i Prysor.

Prysor: Defi. Ty'd yma, wasi.

Dafydd yn ufuddhau. Â i eistedd wrth ymyl Prysor, sy'n rhoi braich gysurlon am ei ysgwydd.

Prysor: Damwain; dryswch; pwl sydyn o seldar! Pwy a ŵyr heddiw be' ddigwyddodd go iawn? Yr hyn sy'n bwysig ydi'r cof amdani. Mi wyt ti wedi gorfod bodloni ar lun ffram, ar hyd y blynyddoedd – ond – ma' be' wyt ti'n weld, ac yn ei ddychmygu – yn perthyn i chdi; yn werthfawr i chdi! Dydi'm rhaid i ti wrth fwy o wybodaeth nag sydd yn y llun! Ar waetha' be' ddyfyd pawb arall. Ac ma'r llun yn deud ei bod hi'n wraig dda, gydwybodol – egwyddorol! Yn hynod o driw i'r achos yn yr hen gapal bach – cyn i hwnnw fynd â'i ben iddo!

(Ysbaid)

Prysor: A'i ben iddo. Dyna ddagra' petha'. Darfod ydi'n hanas ni, un ac oll; ac mi gei di rai sy am ddarfod yn gynt na ddylan nhw! 'Wrach . . . ma' un felly oedd dy nain.

Aeth Llew yn eithaf emosiynol yn ystod yr uchod, ond nid felly Elinor. Ni chredodd hi air o'r rwtsh. Dafydd hefyd yn bur amheus.

Dafydd: Ond . . . mi oedd gynni hi fi. Neu . . . mi wydda hi 'mod i ar y ffor'.

Prysor: Hm! Wyt ti'n siŵr?

Dafydd: Dwi reit siŵr! Dwi wedi g'neud 'yn syms, ac mi oedd Mam wedi mynd tua pedwar mis pan farwodd Nain. 'Doeddach, Mam?

Elinor: Yn un lwmp digwilydd!

Prysor: *(pwl emosiynol)* Ond chafodd Morfudd dlawd ddim byw i dy weld di!

Elinor: Toedd gynni ddim rheswm i fyw – a phob rheswm i farw!

Dafydd: *(apêl gyffredinol)* Pam? Pam fydda hi'n dewis peidio â byw?

Prysor: Achos ma' fel'a weli di amball un!

Dafydd: Mi dach chi'n gw'bod, tydach, Anti Lin?

Prysor: Hitia di befo dy Anti Lin! Gwranda di ar dy daid! Y fo . . . sy'n gw'bod! Y fo . . . sydd wedi dy warchod di a morol amdanat ti! Y fo . . . sy'n pasa sicrhau y pery hi felly o du hwnt i'r bedd!

Dafydd: Peidiwch â sôn am farw!

Prysor: Dwi am i ti ddallt 'mod i am edrach ar dy ôl di! Dwi am i bawb ddallt! Am 'neud yn siŵr y byddi di'n iawn, wedi i mi'ch gada'l chi.

Mae'n tynnu Dafydd ato yn glos.

Prysor: Fydd gin ti ddim i boeni amdano fo tra byddi di, Dafydd!

Dafydd: *(yn eithaf emosiynol)* O, Taid!

Owain: *(ochenaid o anobaith)* Sweet Jesus!

Elinor: Na! Na, 'naech chi byth! Chowch chi ddim!

Ffôn lôn Owain yn canu.

Owain: *(i'r ffôn)* Yes? No! No, I won't be coming!

Elinor: Gnowch chi . . . !

Elinor yn atal, ond yn dal yn herfeiddiol. Ennyd o densiwn, wrth i Prysor ac Emma ddyfalu beth fydd ei phenderfyniad. Medrai fynd y naill ffordd neu'r llall. Yn y diwedd Elinor i'w gweld yn ildio.

Prysor: Faint o'r gloch ddeudodd Lloyd bydda fo yma?

Emma: Di-o ddim yn dwad heno! Gansloch chi, cofio?

Prysor: Canslo?

Emma: Mae o'n dwad bora 'fory. Dydi, Linor? Ma' hwnna'n iawn, dydi Linor?

Elinor: Os wyt ti'n deud!

Emma: Well iddo fo fod yn iawn!

Elinor: I dy blesio di, Emma? Er mwyn i ti ga'l dy facha barus ar Garn Fach yn sgil Dafydd? Wel, os wyt ti'n meddwl am funud y medri di fynd â'r maen i'r wal heb neb i dy ddwyn di i gyfri' mi gei feddwl eto!

Emma: Dwi'n poeni am be' ma' Prysor isio!

Elinor: Ti'n poeni amdanat ti dy hun!

Emma: Ti'n gweld bai arna-i?! Sweet sixteen, dyna faint o'ddwn i, Linor! Mi o'ddat ti'n lwcus! OK, I took it on the chin, ond rŵan ma' hi'n payback time!

Elinor: Ddim ar gorn gweddill y teulu!

Emma: Dwi on a promise yn fa'ma! Ugian mlynedd! Twenty fucking years o aros yn y wings – a ti'n dwyn hwnna oddi arna-i? Oddi arno fo? *(Dafydd)*

Elinor: 'Wrach nad o'ddat ti ond un ar bymthag, ond doedd dim rhaid i ti! Mi lwyddis i ddwad lawr yn f'ôl heb ildio!

Emma: Gest ti ddim cynnig, dyna pam!

Elinor: Sut gwyddost ti?

Emma: Dwi'n gw'bod! O'dd gin ti mo'r gyts radag honno; fydda gin ti mo'r gyts rŵan! Ddest ti lawr o Llechwedd efo dy honour intact ac mi a'th y fisitor, poor sod, 'nol i'w garafan i ga'l wanc!

Dafydd: God, Mam!

Elinor: Ti'n iawn.'Newis i . . . oedd peidio.

Dafydd: Be'? Pa . . . ddewis?

Elinor: Gofynna i dy fam! Na, gwell byth, gofynna i dy dad!

Try Dafydd at Owain.

Elinor: Dy dad . . . ddeudis i!!

Gan rythu ar Prysor. Dafydd, ochr yn ochr ag ef ar y bêl wair yn araf sylweddoli – neu o leiaf yn ceisio cael ei ben o amgylch yr honiad.

Yn ddirybudd, mewn ymdrech benderfynol, a gan roi pob gewyn ar waith, Prysor yn codi ar ei draed a tharo Elinor â'i holl nerth ar draws cefn ei choesau gyda'i ffon. Elinor yn gweiddi mewn poen. Pawb yn hur syfrdan. Mared yn rhuthro i gysuro Elinor. Bu'r ymdrech yn ormod i Prysor. Mae'n ail-eistedd yn swp ar y bêl wair – cyn dechrau llithro oddi arni wysg ei ochr i'r llawr.

Cerddoriaeth *(yn chwarae trwy gyfnod y newid).*

Newid. Cyfleu:
Symud Prysor o'r ardd i'r conservatory; Elinor yn ceisio galw doctor; Emma yn gwneud galwad ffôn ar ei ffôn lôn; Llew yn atgyfnerthu ei gaer o fêls gwair; euogrwydd Owain ac Emma yn gwneud iddynt osgoi Dafydd; Dafydd yn deilchion yn emosiynol; Mared yn hudo Elinor i'r mynydd; Owain yn gorfod gadael gyda Toby Jug a Sean Donaldson.

Y gerddoriaeth yn peidio.

Y golau yn diflannu nes ei bod yn dywyll.

Act iii

Cyfyd y golau.

Mae hi oddeutu dwyawr yn ddiweddarach, rhwng dau olau. Lleuad lawn yn ei hamlygu ei hun. Llew yn cysgu o dan y bêls gwair – tair ohonynt, wedi eu ffurfio yn ddwy wal a tho. Mae ei draed i'w gweld un pen, ei wallt yn y golwg y pen arall. Prysor yn lled-orwedd yn y conservatory, planced drosto. Mae ei lygaid ar gau. Mae'r canister a'r mwgwd wrth ymyl. Emma yn ei wylio â llygad barcud – yn chwilio am yr arwydd lleiaf o newid. Llonyddu, a'i gysidro yn bwrpasol, gan gyfleu tosturi, sydd o bosib yn ymylu ar gariad. Prysor yn dechrau dod ato ei hun. Prysor yn agor ei lygaid.

Prysor: Dafydd?

Emma: Yn tŷ, rh'wla. Shell-shocked. Surprise, surprise.

Prysor: Linor?

Emma: Pam w't t'isio'i gweld hi? Hi roth y boot i mewn. Hi, ddim fi.

Prysor: Lle ma' hi ofynnis i.

Emma: A'th hi off fyny Llechwedd efo'r hogan Caerdydd 'na. If at first you don't succeed . . .

Prysor: Dallt mo'nat ti.

Emma: Dio'm yn bwysig. Fi sy in charge rŵan.

Prysor: 'Rioed. Damia chdi.

Emma: Damia fi? Llaw fawr pwy a'th lawr yn t-shirt i, yn 'y mharti pen-blwydd i'n fourteen; fyny'r sgert, yn fifteen? Naci, damia chdi, Prysor!

Prysor: Wedi talu ar ei ganfed i ti.

Emma: O, really! A be' exactly ydi 'nhâl i ar ddiwadd y dydd? Ei? Pension index-linked? Gold watch? I think not! Dyna pam ti'n gor'od g'neud y peth iawn efo Dafydd a fi; at least g'na hynny!

Prysor: Dim sicrwydd bydd Dafydd yn derbyn, rŵan ei fod o'n gw'bod.

Emma: Nineteen year old, yn deud 'na' wrth ffarm gwerth miloedd? O ia, a dw' inna'n dun o mixed veg hefyd! G'na di y bizz, 'neith yours truly sortio Dafydd allan!

Emma yn cynhesu i'w gorchwyl. Â i eistedd yn agos at Prysor.

Emma: Prick up your ears, Prysor! Dwi wedi siarad efo Lloyd. Mae o'n mynd i drio dwad heno. Bora 'fory, cert.

Prysor: Mi fasa'n braf ca'l gweld y bora.

Emma: Dim fasas! Dim ifs and buts! Dwi isio i chdi addo g'nei di seinio pan mae o'n cyrra'dd! Ma'n rhaid i chdi addo!

Prysor yn syllu i fyw ei llygaid. Fe'i gorchfygir â theimladau cymysg o hiraeth, edifeirwch a chwant.

Prysor: Emma!

Mae'n gosod ei law ar ei phen-glin.

Emma: Gaddo, plis. Mother's death.

Llaw Prysor yn mynd o dan y sgert, ac am i fyny. Emma yn cydio ynddi yn dynn – h.y. rhoi stop ar ei phererindod. Prysor yn nodio ei ben.

Emma: Deuda fo!

Prysor: Ar fedd 'y mhlant.

Chwerthiniad bach eironig gan Emma. Mae'n rhyddhau'r llaw. Â'r llaw i fyny o dan y sgert yn bellach, cyn dod i aros. Erys Emma yn ddidaro. Llygaid Prysor yn cau yn raddol. Emma yn tynnu'r llaw ymaith.

Dafydd yn dod i'r golwg o'r tŷ. Ni welodd ddim o'r uchod, ond mae gweld Emma mor agos at Prysor yn ailsbarduno'r emosiwn ynddo.

Emma: Davie!

Â heibio iddi, allan i'r ardd. Emma yn ei ddilyn. Mentro gorffwys llaw ysgafn ar ei ysgwydd.

Emma: Davie?

Mae'n ceisio ei anwylo; ei dynnu yn agos. Ond nid yw Dafydd yn barod eto.

Dafydd: Sut medrwch chi ddiodda bod yn ei gwmni fo?

Emma: Fel'a ydw-i, sweetie. Pan ma' rhywun lawr ar ei lwc, fi ydi'r cynta' i gynnig helping hand. A ma' lwc Prysor yn gachu ar y funud, ti ddim yn meddwl?

Dafydd: Dydi'm ots gin i amdano fo! Poeni amdanach chi ydw-i. Pam na fasach chi wedi deud?

Emma: Deud! Wedi iddo fo ei phegio hi, 'wrach. Deud, Davie? Be', for God's sake! Pryd? Pryd w't ti'n torri calon dy blentyn? I mean, oes 'na amsar da?

Dafydd: Dwi'n ych caru chi, Mam! Gowch ddeud r'wbath wrtha-i!

Emma: Wel, dyna chdi wedi hitio'r hoelan reit ar ei phen! Ditto fi, chdi!

Emma yn ei gofleidio. Gweithred unochrog.

Emma: Pob dim yn gorad rŵan. Mi ddaw petha'n well. Eventually.

Dafydd: Pam . . . na fasa chi wedi g'neud rh'wbath ynglŷn â fo? Pam na fasa Dad! Oedd o'n gw'bod?

Emma: Davie, pan es i fyny'r mynydd 'na yn sixteen, o'n i'n dal i fynd i rysgol Sul; yn dal yn flin bod dim Santa Clos. Do'dd dy dad – dy dad iawn – ddim hyd yn oed wedi cyrra'dd y laughing gap, heb sôn am nunlla arall. Plethu d'ylo, amball i snog, dim lot mwy 'di digwydd. Mwya' sydyn o'n i up the duff. Sut medra fo beidio â gw'bod?

Dafydd: Mae'n amlwg na ddaru o fawr yn ei gylch o!

Emma: O'dd o'n eighteen, Davie! Fengach na chdi rŵan. O'dd o ofn! O'dd o ofn Prysor! Ond wedyn neuthon ni briodi ac o'dd o'n iawn! O'dd pob dim yn OK!

Dafydd: Be'? O'ddach chi'n hapus? Anodd gin i gredu r'wsut!

Emma: Be' 'di 'hapus'? 'Nath 'nhad i farw pan o'n i'n dair oed. O'dd hwnna'n bummer, believe you me. Wahanol iawn i'r ffor' gest ti dy fagu.

Dafydd: Dydw-i ddim yn hapus rŵan, Mam!

Emma: Blip! Trust me, dyna i gyd ydi o. Mi fyddi di'n hapus eto.

Dafydd: Grêt. A neb yn malio am y trais.

Emma: Ancient history!

Dafydd: 'Wrach hynny, ond tydi hi ddim rhy hwyr i weithredu! Ma' 'na rai achosion yn mynd yn ôl ddegawda! Tydi ugian mlynadd yn ddim!

Emma: Woa! Am be' ti'n sôn? Achosion? Be' . . . case?

Dafydd: Pam lai! Mae o'n haeddu ca'l ei erlyn! Mae o'n haeddu jêl!

Emma: Mae o'n marw, for pity's sake!

Dafydd: Biti na fasa fo wedi marw cyn i mi gyrra'dd!

Emma: Ti ddim yn meddwl hynna, Davie. Be', yr hogyn bach o'dd yn rhedag lawr y grisia, yn gweiddi 'Taid' ar dop ei lais? Yr hogyn bach o'dd yn agor ei geg pan o'dd Taid yn ei fwydo fo, even tasa 'na arsenic ar y llwy?

Dafydd: Nid 'taid' ydi o – 'tad' ydi o! Ac ma'r tad sgin i – o'n i'n feddwl o'dd gin i . . . *(oedi; brawychu o'r newydd)* . . . yn hannar brawd. Mae o . . . *(Llew)* . . . yn hannar brawd! Ac Anti Lin yn . . . ! A phawb ond y fi yn rhannu'r gyfrinach! Y teulu; y fro; pob Twm, Dic a Harri yn y sir synnwn i damad! Sut fedra-i godi 'mhen yn nunlla byth eto, Mam? Sut ddiawl fedra-i wynebu nhw pan â-i 'nôl i'r coleg?

Emma: Pwy sy'n mynd i w'bod, fan'o? Pwy sy'n mynd i ddeud wrthyn nhw? Who gives a shit?

Dafydd: Mared? Peidiwch â meddwl na 'neith hi ddim! Mi ddeudith y cyfan, wrth bawb sy'n symud! Mêl ar ei bysedd hi!

Emma: Dydi'm rhaid i chdi fynd yn ôl. 'Rhosa fa'ma, yn Garn Fach. Chdi sy pia hi, Davie! *(Simsanu mymryn)* Pan gyrhaeddith Lloyd.

Dafydd: Dwi ddim o'i hisio hi! Fedrwn i byth ei derbyn hi!

Emma: God, paid â deud hynna, sweetie. Deud r'wbath arall, ond paid â deud hynna.

Dafydd: Tydi hi ddim yn rhy hwyr i 'neud siampl ohono fo.

Emma: Codi crachan? A fynta'n marw, 'wrach, cyn i'r cops landio? Ac eniwe, be' fysa'r charge?

Dafydd: Chi ddyla w'bod!

Emma: Ia! Fi sy yn gwbod! Fi – a fo – a neb arall! A do'dd hi ddim be' ti'n feddwl.

Dafydd: O'ddach chi'n . . . fodlon iddo fo ddigwydd?

Emma: Dim rape o'dd o, OK? Leave it there, ond ddim dyna o'dd o.

Dafydd: *(rhythu)* Mi o'ddach chi'n fodlon?

Emma: O'n i ar y mynydd; o'dd o ar y mynydd; o'dd hi'n lleuad lawn ac mi gymrodd fantais! Dyna o'dd hi! Ma' loads o wahaniath rhwng mantais a rape!

Dafydd: O'ddach chi isio iddo fo ddigwydd!

Emma: Ma' petha' yn digwydd! That's the point! Bywyd ydi o! Bywyd, a'th 'chydig bach yn tits up ond ddim yn horribly wrong! Ma' pob siap i love life pobl, Davie! Ma' gin ti gariad – wotsername – a sdim rhaid i fi ddeud wrthat ti am y birds and the bees, dwi'n siŵr!

Dafydd: Bethan ydi ei henw hi.

Emma: Bethan! Lyfli! A betia-i fod Bethan a chdi yn ofalus iawn a phob dim ond hei, un noson, lwc owt! Allan ar y pop, un yn ormod, bang! Trên yn y stesion a signal dal i lawr!

Dafydd: Tydi Bethan ddim yn yfad.

Emma: Bully for her! Ma' hi'n gw'bod be' i 'neud efo'r thing sy rhwng ei choesa hi, gobeithio! Plis deud bod hi'n normal!

Ysbaid.

Emma: Bywyd ydi o, Davie. Just . . . paid â bod mor fucking naive. Be' ti'n 'neud lawr yn Caerdydd 'na yn dy amsar sbâr – gweu? Ti 'di cha'l hi'n dda, mêt! Ti'n lwcus bo' chdi yn y coleg 'na, yn bildio dy plastic palaces! Hei, be' dwi'n ddeud yn fa'ma – ti'n lwcus bo' chdi yma o gwbl! Cos o'dd o . . . *(Prysor)* pube's breadth i ffwr' o 'myndlo-i i gefn y Land Rover a 'ngyrru fi i dy doctor of ill-repute yn South Wallasey! Fishbait in the making o'ddat ti am ddau dri dwrnod, sweetie! Ond 'nath Nain – bless her – wrthod. Sefyll yn solid.

Dafydd: *(anghrediniaeth)* Nain Morfudd..?

Emma: Ia, Nain Morfudd! O'dd o wedi sticio cyllall yn ei guts hi, ond 'nath hi ddal roid ei throed lawr a bygwth achwyn wrth all and sundry tasa un blewyn o dy ben di yn ca'l ei dwtsiad! Er ei mwyn hi, dwi ddim yn barod i roid give-up ar yr home stretch, Davie! A dwi isio chdi on side!

Dafydd: Dyna pam ddaru hi ladd ei hun?

Emma: Ma' pobol yn lladd eu hunan am loads o resyma! Hi? O'dd hi'n methu handlo'r syniad o dy ga'l di yn y byd – ond 'nath hi'n dam siŵr bod dim bugger all yn stopio chdi ddwad i'r byd 'chwaith! Dynas beibil; dynas capal, fel deudodd Llew; dynas o'dd yn mynnu bod hyd yn oed cockroach ar y llawr yn haeddu go ar fywyd!

Dafydd: Ches i 'rioed y cyfla i'w nabod hi.

Emma: Tasa hi'n fyw, fysa chdi ddim yma i ddeud hynna.

Dafydd yn cysidro'r set theatr a roddodd yn anrheg i Prysor (yn dal ar y bwrdd gardd).

Dafydd: Fi . . . lladdodd hi.

Emma: *(tyner)* Shit and bollocks. Be' sy'n really bwysig heddiw ydi ma' hi 'nath hi'n bosib – in a roundabout way – i Garn Fach ddwad i chdi. That's the deal! Efo fo. *(Prysor)* Os w't ti isio.

Yn ddirybudd, daw holl emosiwn cronedig Dafydd allan, ac mae'n gwthio'r set theatr i'r llawr a'i malu'n ddarnau â'i droed. Erys Emma yn ddigyffro gan ddisgwyl i'r storm chwythu ei phlwc. Yn y diwedd, Dafydd yn ei ollwng ei hun yn sup i eistedd ar fainc y bwrdd. Emma yn setlo wrth ei ymyl; mentro mwytho ei wallt yn gariadus. Mae Dafydd yn barod erbyn hyn. Try ati yn reddfol, gan gladdu ei ben yn ei mynwes. Hithau yn ei gofleidio; ei ddal yn dynn.

Rhewir y ddelwedd hon o Emma a Dafydd. O'r cefn, Mared ac Elinor yn dod i'r golwg, ar ychydig o garlam, neu'n sicr mae Elinor ar garlam, yn gafael yn dynn yn llaw Mared ac yn ei llusgo ar ei hôl. Synhwyrwn o'r cychwyn mai cyfrannwr anfoddog yw Mared i'r romp. Synhwyrwn hefyd y newid yn Elinor: yn weledol, ei gwallt yn wahanol (mwy ohono); yn ysbrydol, fel petasai wedi deffro o freuddwyd hir.

Elinor: *(gan biffian chwerthin)* Be' 'nown ni rŵan? Gymi di r'wbath i fyta?

Mared: Wy'n flinedig. Rhaid i fi feddwl am fynd.

Elinor: I dy wely?

Mared: Rhyl.

Elinor: O! Be' – gyrru?

Mared: Wy'n sobr bron â bod.

Elinor: Wyt ti? Dwi'n chwil! Wel, ma' 'mhen i'n troi, ddeuda-i fel'na!

Mared: Mae'n amser, Linor.

Elinor: Ydi hi?

Mor ddigynnwrf â phosib, Mared yn dadblethu ei llaw o law Elinor. Hyn yn sadio mymryn arni (Elinor). Daw'n fwy ymwybodol o fan a lle: gweld Llew o dan y bêls gwair; Dafydd ac Emma, a'r set theatr ddrylliedig; Prysor yn y conservatory.

Mared: Well i ti fynd ato fe. *(Prysor)*

Yn ystod yr isod, Llew yn araf ddeffro. Daw ei ben i'r golwg ryw fymryn. Mae'n gwylio Elinor a Mared, heb iddynt sylweddoli hynny.

Elinor: Ti'n deud? Mae o i weld yn iawn i mi! Yn . . . dangnefeddus. Wyddost ti be' 'di hwnnw, Mared? Dyna o'ddan ni'n dwy, gynna ar y Llechwedd.

Mared: Well i ti fynd; well i ti tseco.

Elinor: Dwi'n siŵr ei fod o'n iawn 'sti! Dwi'n siŵr . . . fod Dr. Hodge wedi galw a rhoi pigiad iddo fo. Gafodd sioc ar ei din, decini – galw am tro cynta' heb mi fod yma i'w gyfarch o! Sioc i bawb.

Yn y conservatory, Prysor yn deffro. Mae'n fyr ei wynt, ond mae'r canister a'r mwgwd o'i gyrraedd. Gwna ymdrech (aflwyddiannus) i godi.

Mared: Rhaid i ti fynd ato fe, Linor!

Elinor yn ailgydio yn llaw Mared.

Elinor: W't ti isio mynd 'nôl i fyny i weld y wawr yn torri?

Daw Emma yn ymwybodol o Mared ac Elinor; a sylwi fod Prysor mewn trafferthion. Mae'n gadael Dafydd a mynd i'r conservatory ar ei hunion. Hyn yn sbarduno Elinor.

Elinor: Paid â mynd i nunlla hebdda-i!

Elinor yn rhoi cusan iddi, mor agos a phosib at y wefus, ond heb gyffwrdd. Mae'n gadael am y conservatory; oedi ennyd i gysidro Dafydd.

Mared yn tynnu wyneb anghymeradwyol. Synhwyro, a throi yn sydyn tuag at Llew. Ond Llew yn barod amdani, ac yn cau ei lygaid cyn iddi weld dim.

Elinor yn cyrraedd y conservatory. Yn y cyfamser, Emma yn mynd â'r canister yn agosach a dodi'r mwgwd ar wyneb Prysor. Heb air, Elinor yn cymeryd drosodd. Emma yn ildio yn ddibrotest. Yn raddol, llygaid Prysor yn cau. Elinor yn tynnu'r mwgwd. Daw'n ymwybodol fod Emma yn rhythu arni, a gwna ymdrech i dacluso mymryn ar ei gwallt.

Elinor: Ddoth Dr. Hodge? Mi wnest ffonio, gobeithio.

Emma: Lwcus bod rhywun yma i 'neud.

Elinor: Wnest ti wedyn?

Emma: Mi 'nes ffonio.

Elinor: Be' ddigwyddodd i Defi?

Emma: Ti'n cymryd y piss?

Elinor: Do'dd hi ddim yn fwriad gin i ei frifo fo!

Emma: Fish an' chips; gin and tonic; strawberries and cream. Fedri di ddim ca'l un heb y llall. Hurt me, hurt my dog.

Elinor: Ia, ond! Dydi hi ddim yn iawn os ma' fo geith y cwbl! W't ti'n meddwl ei bod hi'n iawn; yn deg, ar Llew a fi? Ar Owain, tasa hi'n dwad i hynny! Lle ma' Owain, gyda llaw?

Emma: Ddoth dau ddyn i drws. They made him an offer he couldn't refuse.

Elinor: W't ti'n meddwl ei bod hi'n deg?

Emma: Ddewis o. *(Prysor)*

Elinor: Dewis! A chditha'n chwythu dy gorn o'i flaen o, pob cyfla gei di? Pa fath o ddewis ydi hwnna i ddyn?

Emma: Mae o gin rei ohonon ni. W't ti isio fi ddeud 'sorry'?

Elinor: A dydi o ddim gin i? Cred di be' leici di, ond tasat ti wedi bod ar y Llechwedd ddwyawr ddwytha 'ma mi newidiat dy gân yn reit sydyn, o g'nat!

Emma: Efo hi? *(Mared)* Linor, ti'n siarad shit! Hi ydi'r game plan rŵan; y life plan newydd? Bitch, sy'n chwara o gwmpas efo dy deimlada di!

Elinor: Dydi hi ddim! Ma' hi'n ffeind a diddorol; yn chwa o awyr iach yn y lle diflas 'ma!

Emma: Whatever! OK, ti'n deud ti ddim isio gweld Davie yn ca'l ei frifo – wel, conversely, no way ydw-i isio dy weld di'n ca'l dy frifo! 'Nes i 'rioed dy gasáu di! Dwi'n gwatsiad am Davie a fi, dyna i gyd dwi'n 'neud. Os oes 'na beryg dwi allan, all guns blazing! Ond 'nes i rioed dy gasáu di.

Elinor: Chdi sy'n 'y mygwth i – nid y hi. *(Mared)*

Emma: Cwffio am Davie ydw-i! Pan o'ddan ni'n fengach, mi o'ddat ti a fi yn ffrindia penna'.

Elinor: O'ddan ni?

Emma: Yeah! Big mates! Chdi sy wedi anghofio.

Elinor: 'Wrach. Cymaint o betha wedi digwydd.

Prysor yn agor ei lygaid. Mae'n cysidro Elinor, yn enwedig y cydynnau o wallt anghyfarwydd sydd yn hongian. Daw gwên hoffus i'w wyneb, ac mae'n estyn am y cydynnau a'u mwytho. Yn raddol, mae ei lygaid yn cau, a'i law yn llithro ymaith. Gorchfygir Elinor gan don annisgwyl o emosiwn hiraethol, edifeiriol.

Elinor: Dad! O'r nefoedd! Rhy hwyr! Pob dim . . . rhy hwyr!

Emma yn closio, ac yn mentro gorffwys ei dwylo ar ysgwyddau Elinor. Ar y pwynt yma, Elinor yn fodlon cael ei chysuro. Mae'n gorffwys ei phen yn ôl.

Rhewir y ddelwedd uchod. Yn yr ardd, Mared yn tindroi yn aflonydd. Rhan ohoni eisiau dweud gair o gysur wrth Dafydd – ond mae'r ysfa i adael yn gryf hefyd. Yn y diwedd mae'n cysidro Llew o dan y bêls gwair – ac yn fwy penodol, y caniau lagyr (heb eu hyfed). Mae'n estyn am un ohonynt. Llew yn agor ei lygaid yn ddirybudd, a dal y can.

Llew: Gad llonydd i 'mhetha i!

Mared: Licen i r'wbeth i yfed.

Llew: Cer i chwilio r'wla arall!

Mared yn chwerthin. Gadael iddo gymeryd y can. Llew yn teimlo'n fymryn o ffŵl.

Llew: Fi . . . brynodd nhw – efo 'mhres fy hun.

Mared: Sori! Wy wedi anghofio dy enw di!

Llew: Be'?

Mared: Straight. Wy wedi.

Llew: Llew.

Mared yn gwenu. Gwneud swn rhuo (fel Llew), ynghyd â'r ystum priodol â'i llaw (pawen). Nid yw Llew yn gwerthfawrogi.

Mared: Jyst jocan!

Llew: Doniol iawn.

Mared: Whare byti!

Llew yn lled-wenu. Cynnig y can lagyr iddi. Hithau, yn werthfawrogol, yn estyn amdano. Llew yn ei dynnu yn ôl.

Llew: Welis i chi! Chdi a Linor. Gynna.

Mared: Dofe?

Llew: Dwi'n gw'bod . . . be' dach chi'n 'neud. Efo'ch gilydd. Merchaid. I'ch gilydd. Mae o i gyd ar Sgei.

Mared: Ti'n ca'l cheap thrill mas o fe – 'Llew'?

Llew: *(rhyw dristwch)* Nac 'dw. Ddim felly.

Mared yn ffromi. Try i ffwrdd. Llew yn eistedd ac yn agor y can. Â Mared at Dafydd yn bwrpasol.

Mared: Wy'n gadel!

Nid yw Dafydd yn cymeryd fawr o sylw.

Mared: Mae e'n . . . *(Llew)* . . . drist.

Dafydd: Diolch am y lifft.

Mared: 'Drych! Ma'n flin 'da fi. Ma' bywyd yn llawn sypreisus, on'd yw e?

Dafydd: Testun sgwrs pan weli di dy ffrindia nesa'.

Mared: Dyw hi ddim i 'neud 'da fi.

Dafydd: O, nac 'di? Chdi ddaru . . . !

Mared: Beth?

Dafydd: Wthio'r cwch i'r dŵr!

Mared: O'dd hi'n bownd o ddod i'r amlwg r'wbryd! Wedi iddo fe farw. *(Prysor)* 'Da beth 'yt ti moyn byw, Dafydd – y gwir, neu'r celwydd?

Dafydd: Do'ddwn i ddim yn ymwybodol o'r gwir nes i chdi aflonyddu'r dyfroedd!

Mared: Ac 'ignorance is bliss'? O leia' nawr ti wedi ffindo mas beth o'dd yn dy 'neud di mor anhapus.

Dafydd: Pwy ddeudodd 'mod i'n anhapus?

Mared: O't ti'n ffaelu stopo siarad ar y siwrne lan. Sneb yn siarad gyment â 'na heb fod rh'wbeth siriys yn eu becso nhw. Mae e wedi bod yn'o ti 'riod, weden i. Nawr ti'n gw'bod.

Dafydd: Pasio'r amsar o'n i! Bod yn gwrtais!

Mared: Braidd gymerest di dy wynt nes cyrhaeddon ni Storey Arms!

Dafydd: O'dd rhaid i mi! Yn y gobaith y byddat ti'n arafu mymryn!

Mared: Yn y gobeth y byddet ti'n cied dy ben! 'Na pam o'n i'n gyrru'n gloi.

Dafydd: Cer os w't ti'n mynd.

Ennyd, gyda'r ddau yn syllu ar ei gilydd. Yn y diwedd, try Mared ar ei sawdl yn bwrpasol a'i gwneud hi am y conservatory. Oedi, wrth weld y ddelwedd o Emma ac Elinor gyda'i gilydd, ac Emma yn dal i gysuro Elinor. Elinor yn sylwi ar Mared; synhwyro ei bod hi ar fin gadael. Mae'n ei rhyddhau ei hun o afael Emma a dod allan i'r ardd.

Elinor: Na, paid.

Mared: Wy'n gorffod.

Elinor: Dwi'n . . . gorfod aros.

Mared: Sori, Linor!

Â Mared heibio iddi, ac i mewn i'r conservatory. Saif Emma yn ei ffordd.

Mared: Wy'n mynd . . . thataway!

Emma: Yeah? Heb 'neud be' 'nest ti addo gynta'?

Mared: Cliw, plis.

Emma: Witness! Iddo fo. Ma'r solicitor yn dwad heno; bora 'fory, cert.

Mared: Gêm o'dd hi.

Emma: Be' 'udist ti?

Mared: Tam bach o sbort.

Emma: Dim gêm ydi hi i fi, sweetie! 'Nest ti addo! 'Nes i dy glywad di'n deud! 'Nath pawb glywad!

Mared: Ti'n iawn. Ond sa-i 'riod wedi rhoi addewid i ddyn – a'i gadw fe. Ta beth – ti wir yn meddwl bydd e dal 'ma yn y bore?

Gŵyr Emma fod cymaint o wirionedd yn sylw olaf Mared. Â Mared heibio iddi (i mewn i'r tŷ). Emma yn cythru am ei ffôn lôn. Deialu. Fe'i siomir pan ddaw'r peiriant ateb ymlaen.

Emma: *(i'r ffôn)* Emma Hughes, Yr Angor. Negas i Lloyd, solicitor. Isio witness yn Garn Fach. Dim i ga'l.

Emma yn eistedd yn swp; claddu ei phen yn ei dwylo, wedi ei gorchfygu yn llwyr am y tro.

Yn ystod yr uchod, Elinor yn sefyll yn gwbl llonydd. Mae'n synhwyro Mared yn gadael. Â draw at Dafydd, a chysidro'r set theatr sydd yn ddarnau ar y llawr. Yn ystod yr isod, mae'n codi'r darnau a'u dodi ar y bwrdd gardd, a cheisio eu rhoi yn ôl at ei gilydd.

Dafydd: Be' ddigwyddodd i'ch gwallt chi?

Elinor: *(ychydig yn amddiffynnol)* Pam, be' sy'n bod arno fo?

Dafydd: Dros y lle. Gwahanol.

Elinor: O! A 'sa fiw i neb fod yn wahanol, na fasa! Robin y gwynt ddaliodd o, a finna ddim yn sbio. Gwynt cynnas, braf.

Dafydd: Ar y Llechwedd?

Elinor: Eneidia hoff cytûn, dyna o'ddan ni; wedi meddwi ar ogla'r grug a sŵn yr adar bach yn canu.

Dafydd: Chlywsoch chi 'run deryn yn canu, siŵr!

Elinor: Byddaru!

Dafydd: Ddim mor hwyr â hyn!

Elinor: *(yn daer)* Do, mi wnes! Mi clywis i nhw, yn gymanfa yn 'y mhen i; mi clywis i nhw achos 'mod i isio eu clywad nhw! Paid â gwarafun cyn lleiad i mi, da chdi! Paid â chymryd breuddwydion oddi arna-i hefyd!

Bu ei hymdrechion tila i roi'r set theatr yn ôl gyda'i gilydd yn aflwyddiannus wrth gwrs. Rhy'r ffidl yn y to.

Elinor: Gad r'wbath i mi, dyna i gyd dwi'n ofyn.

Dafydd: Peidiwch â bod yn wirion! Ail fam! Mi o'n i o ddifri!

Cydwenu cynnes. Yn ofalus, Dafydd yn cymeryd cydynnau gwallt Elinor sydd yn hongian a'u tynnu i gefn y pen – h.y. ymdrech fach i'w rhoi yn ôl yn eu lle. Elinor yn helpu gyda'r orchwyl.

Dafydd: Ga-i ofyn? Lle o'ddach chi, pan o'dd Taid am i Mam ga'l 'y ngwarad i? Lle o'ddach chi'n sefyll, Anti Lin?

Elinor: *(yn ddagreuol)* O, Defi! Be' ma'r gnawas wedi bod yn 'i ddeud?

Dafydd: Y gwir, medda hi!

Elinor: Heb isio; heb isio!

Dafydd: Pam? A chitha wedi 'ngwarchod i a 'nifetha i ar hyd ych oes!

Elinor: Am na wyddwn i mai chdi fydda chdi nes o'ddat ti!

Dafydd: Mi ddaru Nain benderfynu heb 'y ngweld i 'rioed!

Elinor: Dy nain oedd dy nain. Ail wael iawn ydw-i ma' gin i ofn.

Dafydd: Nid ych beirniadu chi ydw-i. Mi fedra-i ddallt pam, rŵan 'mod i'n ei weld o am be' ydi o. *(Prysor)* A chofiwch, Anti Lin! 'Di ots be' ddigwyddith, mi fydd wastad le i chi yma.

Elinor: Ti'n hyderus iawn!

Ar y gair, Owain yn ymddangos o gyfeiriad ardal y bbq. Mae ei esgidiau, a godrau ei drowsus yn drybola, yn wlyb a mwdlyd. Mae ei got wedi ei rhwygo. Mae ganddo glais neu ddau ar ei wyneb, a sgor gas, waedlyd uwchben un llygad. Mae ymateb Elinor yn reddfol.

Elinor: Be' ddigwyddodd i chdi? Domi weld!

Elinor yn estyn hances; sychu'r gwaed uwchben y llygad.

Owain: Mae o'n dal efo ni ta! *(Prysor)*

Elinor: Be' aflwydd w't ti wedi bod yn 'neud?

Owain: Dal pen rheswm! Gneud 'y ngora, o leia'.

Yn y conservatory, Emma wedi sylwi ar Owain yn cyrraedd – a'r cyflwr y mae o ynddo. Ond mae hi'n gyndyn i adael Prysor.

Elinor: 'Rhosa! Â-i nôl r'wbath i roid arno fo!

Dafydd: O'ddach chitha am ga'l 'y ngwarad i hefyd?

Elinor: Paid â gofyn peth fel'na iddo fo rwan! Y fo . . . ydi dy dad di.

Sef Owain. Elinor yn gadael am y conservatory. Daw wyneb yn wyneb ag Emma.

Elinor: Cer at dy ŵr.

Elinor yn diflannu i'r tŷ. Emma yn cysidro Prysor ac Owain yn eu tro. Am ennyd, Owain yn ymwybodol ei bod yn edrych.

Owain: Lle ma'r ffrind? Tipyn o gymêr, Dafydd!

Dafydd: Peidiwch â thrio ffalsio efo fi! Sori . . . dwi ddim yn gw'bod be' i ddeud!

Owain: Ydi dy fam wedi deud y cwbl?

Dafydd: Ydi – Mam!

Owain: W't ti'n siŵr?

Dafydd: Gofyn i chi ydw-i! Be' 'di'ch stori chi?

Owain: Ha! Ddylis 'mod i'n saff yn y topia 'ma; ond myn diawl, mi landion 'run fath yn union! Dydi'r Saeson 'ma yn betha powld? Fedri di'm llai na'u hedmygu nhw r'wsut!

Dafydd: Nid am heno o'ddwn i'n ofyn.

Yn ystod yr uchod, Llew yn codi yn bur bwrpasol.

Llew: Sgin ti waith ga-i?

Owain: Euthon â fi i'r Ship! Rêl gwŷr bonheddig, y ddau!

Llew: Sgin ti?

Owain: Roedd hi'n morio, fan'o! Yn 'Sloop John B' ac yn 'Swing Low' am gwelat ti! Am 'chydig eto ddylis 'mod i'n saff, yn enwedig pan ddechreuodd y cwrw lifo! Cheuthwn i ddim mynd i 'mhocad hyd yn oed! Ddechreuis feddwl: 'mi o'ddwn i'n iawn, trafodaeth busnas rhwng dynion, dyna ma' Toby a Sean isio!' W't ti'n cofio hanas Caradog, Llew? Yn rysgol 'stalwm! Caradog, y rebal, yn ca'l ei gludo mewn cadwyni i Rufain, a'i baredio o flaen y dorf! Pawb yn disgw'l iddo fo ga'l ei wawdio a'i boenydio, ond nid dyna ddigwyddodd! Ei glodfori o ddaru nhw, am iddyn nhw nabod yr arwr yn'o fo'n syth! A dyna lle'r o'ddwn i am ryw awran yn y Ship – ar strydoedd Rhufain a'r dorf yn canu 'nghlodydd i! Ond buan iawn des i at 'y nghoed; buan iawn sylweddolis i mai nid yn Rhufain o'ddwn i go iawn ond yn Wales, England ymysg y brodorion. A buan iawn ddaru'r hogia sylweddoli fod y cwpwrdd yn wag; fod yr hwch wedi hen fynd drw'r siop ac ar ei ffor i Birkinhead! Mi newidiodd yr ambience yn gynt na fedrat ti ddeud 'thieving Welsh bastard!' Mwya' sydyn, nid arwr o'ddwn i, ond haliwr! A toes 'na ddim gwaeth, fel y gwyddoch chi, dwi'n siwr. Oes, ma' 'na hefyd: haliwr heb ddima yn ei bocad.

Dafydd: Tydach chi ddim!

Llew: Sgin ti waith ga'i?

Owain: Be'?

Llew: Yn y caff! 'Na-i r'wbath. Fedra-i 'm dibynnu ar Linor 'di mynd! 'Na-i r'wbath, Ow.

Owain: Paid â 'ngalw i'n 'Ow'.

Llew: Handi man! Tasa petha'n mynd yn flêr yn fa'ma.

Owain: *(gan chwerthin)* Gwaith! Ia, go dda!

Llew: Yn y cefna! Y gegin! Di-o bwys gin i!

Â chwerthin Owain braidd yn afreolus.

Llew: Ol be' sy mor ddoniol? Mi helpi dy frawd, gobeithio?

Owain yn difrifoli yn llwyr. Ysgwyd ei ben mewn anobaith.
Daw Emma allan o'r conservatory. Llew yn apelio yn emosiynol iddi.

Llew: Ydi Dad yn mynd i fod yn iawn?

Owain: Ti'n dal i falio, a fynta'n pasa cachu am dy ben di? Dyna'i hyd a'i lled hi, ia ddim?

Emma: Cer adra, Owain.

Owain: Adra! A lle'n union ma' hwnnw, Emma?

Emma: Ma' Davie'n ypset!

Owain: A fynta'n ffarmwr cefnog rŵan?! Be' sgynno fo i fod yn ypset yn ei gylch o? Y fi a Llew sy'n ypset! A hi!

Sef Elinor, sy'n dychwelyd o'r tŷ gyda bocs 'cymorth cyntaf' bychan.

Owain: A chditha! Pan sylweddoli di.

Emma: Be' ti'n falu cachu?

Owain: Sut, meddat ti, des i o'r Ship mewn un darn? Wel, heb ormod o ddamej! W't ti'n meddwl o ddifri' bydda Toby a Sean yn fodlon i mi ada'l efo jyst mymryn o gweir? A'r joc ydi hyn: ar ôl i mi roi'r goriada iddyn nhw ces i'r gweir! Fel diolch! Dyna i ti gymaint o gesys ydyn nhw!

Emma: Pa oriada?

Owain: Yr Angor, debyg iawn! Be' arall o'dd gin i i'w gynnig?

Emma: Ti 'di rhoid goriada'r fucking Angor i Toby a Sean?

Elinor: Be' ddoth dros dy ben di?

Dafydd: Sgin Mam nunlla i fyw rŵan!

Owain: Ma' gynni fa'ma! Be' di'r rhagolygon gyda llaw? Ddoth Dr. Hodge? A be' am Lloyd? Gyrhaeddith o mewn pryd? Ydi Lloyd yn bodoli o gwbl?

Emma yn ymosod ar Owain; ei beltio a'i waldio. Nid yw Owain yn gwneud unrhyw ymdrech i'w amddiffyn ei hun.

Emma: Lle dan ni'n mynd i ffrigin' byw? Sut . . . dan ni'n mynd i ffrigin' byw?

Llew: Callia, wir Dduw!

Dafydd: Rhowch gora iddi, Mam!

Rhyngddynt, Dafydd a Llew yn llwyddo i dynnu Emma o gyrraedd Owain.

Owain: Ro'dd rhaid i mi! Do'dd gin i ddim dewis arall!

Owain yn cysidro Prysor yn gorwedd yn y conservatory.

Owain: Dim dewis yn y byd, rŵan bod y banc wedi cau. *(Sef Prysor)* Be' 'di'r ots i chdi? 'Drychith Dafydd ar d'ôl di! Yn g'nei, Dafydd?

Emma: Dim ond os ydi Lloyd yn cyrra'dd! Dim ond os ydi o *(Prysor)* efo digon o wmff i seinio! Fel arall, ma' hi'n good night fucking Vienna!

Owain: Fydd hi ddim! Mi ddaw Garn Fach i'r tri ohonon ni, ac mi fyddi di'n iawn; i ni'r plant.

Emma: A be' am 'y mhlentyn i? Ei? Be' am Davie?

Elinor: Dy ddewis di oedd Defi!

Emma: Un waith! Un ffrigin' gwaith ar top y soddin' mynydd! Dim 'y newis i o'dd lifetime service, way, way dros ben a beyond the call of duty!

Owain yn cydio ynddi, yn benderfynol iawn yn sydyn.

Owain: Meiddia di! Di-o ddim i glywad mwy!

Emma: Mae'n iawn iddo fo glywad!

Owain: Dim 'chwanag, medda fi!

Emma: Dim 'chwanag? Pam na ddeudist ti hynna wrth fo yn amlach? *(Prysor)* Ti'n lwcus, Davie, bod o ddim yn dad go iawn i chdi! Mi fysat wedi ca'l dy werthu i'r slave-trade yn bell cyn rŵan!

Owain: Dwi'n crefu arna' chdi i beidio.

Emma: Crefu? Fel 'nes i grefu arno fo? *(Prysor)* Ond 'nath o ddim gwrando. 'Nath neb wrando! Dim ond troi i ffwr': mynd i siopa *(Elinor)*; mynd i'r caea efo'r cŵn *(Llew)*; ista yn car yn smocio, a darllan y *Daily Mail (Owain)*. Pan o'dd llythyr cas yn landio, yn gofyn am bres; pan o'dd bailiff wrth y drws – o'n i'n gw'bod bod hi'n call-up time. Ac ar hyd yr amsar, o'n i'n chwilio am un gair bach; dau air bach; na, tri. Three little words, fel ma'r gân yn ddeud: 'dwi'n dy garu di. G'na fo i mi achos dwi'n dy garu di'. Dyna o'n i isio glywad; dyna ma' pawb yn y byd isio glywad! Ond mi wrandis i ac mi wrandis i, ond ddoth y geiria ddim.

Owain: Mi o'ddan nhw wastad yn 'y nghalon i, siwgwr candi mêl.

Dafydd: Mi orfodoch Mam . . . i 'neud peth fel'na? Ar hyd y blynyddoedd?

Owain: W't ti wedi bod isio am ddim 'rioed, Dafydd? W't ti'n mwynhau dy hun yn y coleg 'na?

Dafydd: Mi 'neuthoch hŵr ohoni hi!!

Mae ei gynddaredd emosiynol ar fin ei orchfygu, wrth iddo sythu o flaen Owain, ei ddyrnau ar gau. Ofnwn ei fod yn mynd i'w daro.

Elinor: Sadia, wasi.

Dafydd: Tydach chitha fawr gwell os o'ddach chi'n gw'bod!

Ysbaid, wrth i bawb ddisgwyl i Dafydd dawelu.

Llew: *(mentro)* Yn y caea efo'r cŵn ydw-i ran fwya'. Chwara teg.

Dafydd: Chwara teg! O, owch yn ôl i'ch cwt ieir, Yncl Llew! Owch chitha efo fo! *(Owain ac Elinor)* Dydi 'run ohonoch chi yn haeddu bod yma!

Llew: Neno'r Arglwydd, paid â rwdlan wir!

Elinor: Wêl di fai arno fo? Dallt yn iawn, Defi! Dest . . . cofia amdana-i. Mi 'sa fflat bach yn dre' yn g'neud 'y nhro i'n iawn – os ma' i hynny daw hi.

Llew: Cer i ganu! Deith 'run o 'nhraed i ar gyfyl dre'!

Elinor: Pwy ddeudodd bydda 'na wadd i chdi?

Llew: Iawn ta! I ddiawl â chi i gyd! Mi a-i i ga'lyn Mam, os ma' fel'na mae ei dallt hi! Mi fyddwn i yma am byth wedyn!

Owain: O! Ac mi w't ti'n cyfadda o'r diwadd mai nid damwain oedd hi?

Llew: Da i ddim o Garn Fach, waeth gin i amdanoch chi!

Yn ddirybudd, yn y conservatory, Prysor yn agor ei lygaid ac yn codi ar ei eistedd, mewn un symudiad chwim.

Prysor: *(cri ingol)* Morfudd!

Pawb yn yr ardd yn troi i rythu. Rhewir y foment am ennyd neu ddwy – cyn i Emma, Elinor, Owain a Llew ruthro o'r ardd i'r conservatory, y pedwar yn anweddus o awyddus i fod y cyntaf i gyrraedd Prysor. Wedi iddynt landio, heidiant o'i gwmpas fel gwenyn o amgylch pot jam.

Elinor: Ydach chi'n iawn, Dad?

Emma: Can't keep a good man down, Linor!

Owain: Fydda ddim yn well i chi fynd yn ôl i gysgu?

Elinor: Gymwch chi ddiod o r'wbath poeth?

Llew: Gymwch chi jioch o wynt?

Prysor yn cymeryd anadl ddofn; yn wir, fel pe na bai dim yn bod ar ei ysgyfaint. Y pedwar yn cyfnewid mân edrychiadau o syndod. Prysor yn simsanu; cael pwl o beswch.

Emma: Ma' Lloyd ar ei ffor'!

Elinor: Nos Sadw'n? Ddaw o ddim bellach, siŵr!

Owain: Rhy bell!

Elinor: Rhy hwyr!

Llew: Rhy feddw! Mi fydd wedi'i sodro i far y Sportsman erbyn rŵan i chi!

Prysor: Lle ma' Dafydd? 'Stynnwch 'yn ffon i! Helpwch fi!

Elinor: Ydach chi'n siŵr medrwch chi ger'ad?

Prysor: Sdim yn bod ar 'y nhraed i, sawl gwaith ma' gofyn i mi ddeud!

Prysor, gyda'r pedwar yn cynorthwyo, yn stryffaglu ar ei draed. Gosodir y ffon yn ei law.

Prysor: Gnowch le!

Braidd yn sigledig, ond yn gwbl benderfynol, â Prysor allan i'r ardd.

Yn ystod yr ymgom isod rhwng Prysor a Dafydd, mae'r pedwar yn y conservatory yn edrych allan â diddordeb mawr – ond heb fedru clywed dim. Mae Owain, Elinor a Llew gyda'i gilydd yn un clwstwr, Emma ar wahân.

Mae Dafydd yn gyndyn i wynebu Prysor. Ymddengys Prysor yn eithaf emosiynol, yn ddidwyll felly am unwaith.

Prysor: Dafydd! Dafydd bach . . . be' 'nown ni efo chdi, dwad?

Dafydd: Mi wn i be' fysa chi wedi licio 'neud efo fi, unwaith!

Prysor: Dwi'n diolch i'r Bod Mawr ma' dy fam – a dy annw'l nain – a'th â'r maen i'r wal yn y pen draw! Cymaint tlotach fydda 'mywyd i wedi bod hebddat ti!

Dafydd: Mi o'ddach chi'n fodlon dygymod â'r tlodi hwnnw hefyd, waeth gin i be' ddeudwch chi!

Prysor: Wnei di fadda i mi, dyna'r cwestiwn llosg?

Dafydd: Ydw i'n barod i werthu 'n hun dach chi'n feddwl, ma' siŵr – fel ddaru Mam!

Prysor: Derbyn! Nid gwerthu. Garn Fach . . . yn rhodd gin i.

Dafydd: Maddeuant pum munud – am bechoda oes.

Prysor: Ar ddiwedd . . . oes. Os na ca-i o gin ti, pa obaith sgin i o'i ga'l o gin neb arall? Mi w't ti'n Gristion . . . dw't? Fel finna!

Dafydd yn lled-chwerthin yn sinicaidd.

Prysor: Dyna ydw-i! Dyna ydan ni i gyd!

Dafydd: 'Sa fiw i chi fod yn ddim arall dyddia yma!

Prysor: Ma' gin i'r hawl i ofyn maddeuant – a'r hawl i'w dderbyn o.

Dafydd: Fel yr hawl gafodd Mam i ddewis, pan oedd hi'n un ar bymthag?

Prysor: To'dd yr hyn ddigwyddodd ar y Llechwedd noson honno ddim yn drosedd!

Dafydd: Ydi'r gair 'pechod' yn ych siwtio chi'n well?

Prysor: Be' ddeudodd dy fam, Defi?

Dafydd: Mi gymroch fantais, dyna ddeudodd hi! Pechod dwi'n ei alw fo; ond 'wrach medrwch chi ddeud yn wahanol.

Prysor: Ti'n sefyll o 'mlaen i, hogyn! W't, yn hogyn hardd, yn gannwyll 'yn llygad i! W't ti am i mi erfyn maddeuant am dy fodolaeth di? Mi rydw-i yr hyn ydw-i ac ma'n rhaid i mi ddygymod â hynny bellach – fel ma'n rhaid i bawb arall. Ond mi fedra-i hefyd weld – a gwerthfawrogi – dy angen di i 'neud yn iawn â dy fam.

Dafydd: Peidiwch â meddwl 'mod i'n fodlon madda iddi hitha mor rhwydd â hynny 'chwaith! Ma' hi – a phawb arall! – Yn euog o fwydo'r pechod gwreiddiol!

Prysor: O'r gora, ddeudwn ni . . . mai dyna o'dd o. Paid â chwestiynu 'nheyrngarwch i ar hyd y blynyddoedd, dyna'r oll dwi'n ofyn.

Dafydd: Ych teyrngarwch chi 'na'th fi'n anhapus ar hyd y blynyddoedd, taswn i ond wedi sylweddoli hynny! Yn anhapus . . . ac ofnus . . . bod tro fyddwn i efo chi – er na nabodis i mo'no fo fel ofn tan heddiw: fy ofn i, ac ogla ofn ar bawb arall.

Prysor: Choelia-i! O'ddat ti'n ofn i pan gest ti'r gwn hela yn bresant pen-blwydd yn ddeuddag oed; pan saethist dy gwningan gynta' ar y Llechwedd, er fod honno'n prysur ddiflannu o d'olwg di am y ddrysfa? Gafon sbort d'wrnod hwnnw, Defi!

Dafydd: *(yn hiraethus)* Deimlis yn ddyn mwya' sydyn.

Prysor: Yn llygad i o'dd dy lygad di!

Dafydd: Mi gafodd ei dal ar y Llechwedd, a chafodd hi ddim dewis. Toedd dim dewis i fod, nac oedd, Taid?

Prysor: *(yn emosiynol)* Taid! 'Nâi o, yldi, sdim wedi newid rhyngtho ni'n dau!

Dafydd: Ma' pob dim wedi newid! Welwch chi mo hynny?

Prysor: Ia . . . ond mi gafon sbort d'wrnod hwnnw, 'ndo? Sawl d'wrnod arall!

Dafydd yn edrych tuag at y conservatory – ac Emma yn benodol.

Dafydd: Be' ddigwyddodd? Lle . . . digwyddodd o? Wrth ymyl y bwlch lle ddaru Nain lithro . . . *(atal)* . . . Neidio? Dilyn ôl ych troed chi, dyna oedd hi'n 'neud?

Erys Prysor yn fud.

Dafydd: O'ddach chi'n llygadu Mam o'r munud gwelsoch chi hi? Mi o'ddach chi'n nabod hi'n blentyn, to'ddach?

Prysor: Hogan o'dd hi!

Dafydd: Yn blentyn; yn dwad yma i chwara efo Anti Lin!

Prysor: Llafnas! Nid plentyn! Prin sylwis i arni hi i gychwyn!

Dafydd: Ond mi ddaru chi sylwi arni! Mi ddaru chi sylwi, a dechra ei dylino hi i'ch pwrpas hunanol ych hun.

Prysor: Am nad o'ddwn i'n barod am danllwyth o dân a chetyn, hyd yn oed os o'dd dy nain!

Dafydd: Yn hen ddyn; yn dad i'w chariad hi.

Prysor: Hen, be' sy harut ti! Yn 'y mhedwardega! Yn 'y mhreim!

Dafydd: Mi o'dd gynnoch chi nain!

Prysor: 'Wrach . . . nad o'dd dy nain yn ddigon; ac 'wrach ma'r chwant a'th yn drech na fi. Nid r'w hen chwiw sy'n mynd a dwad ydi o, yldi; mymryn o hwyl dros dro y medri di ga'l trefn arno fo. O na, mae o'n fistar corn sy'n gwreiddio'n gynnar, ac yn dy glymu di'n gnotia tan pen dwytha'; tan y chwythiad ola'. Mae o'n dal i gorddi hyd yn oed rŵan; yn 'y myta i yn fyw – yn waeth o beth diawl na'r 'hen foi' ei hun – gan greu yr hiraeth mwya', a'r dolur creulona'. Cythra'l, sydd am sbelan yn dy 'neud yn anorchfygol – nes iddo ga'l ei gymryd oddi arnat ti fesul tipyn; nes i'r cyfla i 'neud ambell i beth ynglŷn â fo gilio, gan dy ddinistrio yn y fargan, dow-dow. Ailddarganfod yr hud, dyna'r gamp – neu o leia' ei sawru o unwaith yn rhagor cyn iddo ddiflannu o dy fywyd ti am byth. Dwyn amsar; achub un awr o geg y diawl barus – un awr arall o deimlo'n anorchfygol. Ro'dd dy fam . . . yn rhosyn perffaith oedd yn rhaid i mi ei feddiannu, doed a ddêl; ond a'm llaw ar 'y nghalon – hynny sy'n weddill ohoni – wnes i ddim ei gorfodi hi. Manteisio, do.

Ysbaid.

Prysor: Wnei di fadda i mi?

Dafydd: Tydach chi ddim yn ei haeddu fo . . . ond ma' siŵr ma' dyna wna-i.

Prysor: Ty'd at dy daid!

Dafydd: Dyna wna-i, achos ma' chi ydi'r person pwysica' yn 'y mywyd i, damia chi! Damia chi am fod yn hynny! Ond tydi maddeuant ddim yn golygu 'mod i'n credu dylach chi beidio cael ych cosbi!

Prysor: W't ti'n dechra drysu? Cosb! Ydi bod ar lan yr afon ddim yn ddigon gin ti?

Dafydd: Pan o'ddwn i'n blentyn, mi ddysgoch i mi fod pob drygioni yn haeddu cosb!

Prysor: Twt lol! Plentyn, dyna o'ddat ti! Dyna w't ti'n ddeud wrth blant!

Dafydd: Fel o'dd Mam yn blentyn? Clwydda ddeudsoch chi wrthi hitha hefyd? Sori, anghofis i: hogan o'dd hi, felly mi oedd pob dim yn iawn!

Prysor: Dwi'n rhythu i wyneb y gosb eitha' – cyn wired â 'mod i'n bechadur, dyna sydd o 'mlaen i. Ydi'n rhaid i mi ddiodda hefyd: y boen a'r sarhad; 'yn amddifadu o bob rhithyn o urddas sy gin i ar ôl? Wsnos arall; mis 'wrach o rygnu byw, pan ŵyr pawb be' fydd diwedd y gân.

Dafydd: Tydw'i ddim isio i chi ddiodda, Taid!

Prysor: Ond mi w't ti isio be' sy'n briodol; yn gyfiawn. A'r gwn yn dy law, ar y Llechwedd gwta ddegawd yn ôl mi deimlist yn ddyn! W't ti'n dal yn ddigon o ddyn . . . i weinyddu'r gosb eitha'?

Dafydd yn syllu arno.

Prysor: Os ma' fi ydi'r peth pwysica' yn dy fywyd ti! Chdi o'dd yn deud!

Dafydd yn dal i syllu, wrth iddo sylweddoli beth sydd ar feddwl Prysor.

Prysor: Cosb a chymwynas. Bodloni anghenion yn gilydd, Defi.

Dafydd yn ysgwyd ei ben. Prysor yn ei daro a'r ffon.

Prysor: 'Dyn'! Dyna o'ddat ti'n frolio! W't ti wedi ailfeddwl, ac yn cydnabod mai dyn gwellt w't ti wedi'r cyfan – fel dy daid? Fel dy dad ddylwn ddeud!

Dafydd: Nid y chi ydi 'nhad i! Rhowch gora iddi!

Prysor: Rho daw arna-i!

Mae'r ddau yn llawn emosiwn; y ddau yn dal edrychiad ei gilydd. Yn araf, Dafydd yn ymestyn ei freichiau, yn gwahodd Prysor i fynd ato.

Dafydd: Taid!

Daw Prysor ato. Rhy Dafydd ei freichiau amdano a'i ddal yn dynn, gan bwyso ei wyneb i'w fynwes. Wedi ennyd, Prysor yn ceisio ei ryddhau ei hun, ond gafael Dafydd yn mynd yn dynnach – a mwy penderfynol. O'r diwedd, Prysor yn llonyddu. Mae ei ffon yn disgyn i'r llawr. Mae'r criw yn y conservatory yn llonydd. Mae Dafydd a Prysor yn llonydd.

Y golau yn diflannu nes ei bod yn dywyll.

DIWEDD